escale à
méxico

Plus vieille capitale des Amériques
et ville la plus peuplée d'Amérique
du Nord

Superficie: 1 500 km² (agglomération)

Population: 22 millions (agglomération),
9 millions (Ciudad de México)

Altitude: 2 240 m

Fuseau horaire: UTC -5

ULYSSE

Crédits

Recherche et rédaction: Rodolphe Lasnes
Éditeurs: Claude-Victor Langlois, Pierre Ledoux
Adjoints à l'édition: Ambroise Gabriel, Annie Gilbert
Recherche et rédaction antérieures, extraits des guides Ulysse *Fabuleux Mexique* et *Comprendre le Mexique*: Julie Brodeur, Françoise Roy
Correction: Pierre Daveluy
Conception graphique: Pascal Biet

Page couverture et mise en page: Judy Tan
Cartographie: Félix Crépeau, Isabelle Lalonde
Photographies: Première de couverture: *Célébration du Día de Muertos* © Alamy.com/Jan Sochor.
Quatrième de couverture: *Tacos* © Dreamstime.com/Marcos Castillo. *Catedral Metropolitana* © iStockphoto.com/traveler1116. *Bosque de Chapultepec* © Shutterstock.com/victorcalceta.

Cet ouvrage a été réalisé sous la direction de Claude Morneau.

Remerciements

Un grand merci à Sophie Brossard, Sergio Valladares, Gaël et Cloé pour leur accueil et les précieuses recommandations. Merci à Daniel Desjardins pour ses bonnes adresses.

Nous reconnaissons l'appui financier du gouvernement du Canada.

Nous tenons également à remercier le gouvernement du Québec – Programme de crédit d'impôt pour l'édition de livres – Gestion SODEC.

Canadä   Québec

Guides de voyage Ulysse est membre de l'Association nationale des éditeurs de livres.

Note aux lecteurs

Tous les moyens possibles ont été pris pour que les renseignements contenus dans ce guide soient exacts au moment de mettre sous presse. Toutefois, des erreurs peuvent toujours se glisser, des omissions sont toujours possibles, des adresses peuvent disparaître, etc.; la responsabilité de l'éditeur ou des auteurs ne pourrait s'engager en cas de perte ou de dommage qui serait causé par une erreur ou une omission.

Écrivez-nous

Nous apprécions au plus haut point vos commentaires, précisions et suggestions, qui permettent l'amélioration constante de nos publications. Il nous fera plaisir d'offrir un de nos guides aux auteurs des meilleures contributions. Écrivez-nous à l'une des adresses suivantes, et indiquez le titre qu'il vous plairait de recevoir.

Guides de voyage Ulysse
4176, rue Saint-Denis, Montréal (Québec), Canada H2W 2M5, www.guidesulysse.com, texte@ulysse.ca

Les Guides de voyage Ulysse, sarl
127, rue Amelot, 75011 Paris, France, www.guidesulysse.com, voyage@ulysse.ca

Catalogage avant publication de Bibliothèque et Archives nationales du Québec et Bibliothèque et Archives Canada

Lasnes, Rodolphe, 1971-, auteur
Escale à México / Rodolphe Lasnes.
Comprend un index.
ISBN 978-2-89464-627-4
1. Mexico (Mexique) - Guides. I. Titre.
F1386.A4L37 2018   917.2'5304843   C2018-940143-5

© Guides de voyage Ulysse inc.
Tous droits réservés
Bibliothèque et Archives nationales du Québec
Dépôt légal – Premier trimestre 2019
ISBN 978-2-89464-627-4 (version imprimée)
ISBN 978-2-76584-013-8 (version numérique PDF)
ISBN 978-2-76584-029-9 (version numérique ePub)
Imprimé en Italie

sommaire

Mégapole tentaculaire, la Ciudad de México est la vibrante et colorée capitale du Mexique. Bâtie sur un ancien lac, México (qui signifie «nombril de la lune» en langue nahuatl) doit son emplacement atypique à une légende divine qui fut à l'origine de la création de Tenochtitlán, capitale de l'Empire aztèque. Rasée par les conquistadors espagnols, reconstruite, agrandie, modernisée, cette ville fortement marquée par l'histoire en garde un fabuleux métissage.

Bien qu'elle ne soit pas épargnée par les fléaux affectant des villes de cette taille (pollution, circulation intense), la CDMX, comme elle est désormais surnommée, a réussi au tournant du XXIe s. à en atténuer les effets. Elle laisse ainsi explorer ses nombreuses facettes d'une manière agréable et sécuritaire. Elle se fait villageoise dans les quartiers de Coyoacán et San Ángel, ultramoderne autour du Paseo de la Reforma, historique dans le Centro, bourgeoise à Polanco, artistique du côté de Roma et La Condesa. On y visite des musées à la renommée mondiale autant que des marchés populaires, des galeries d'art contemporain, des vestiges archéologiques ou des complexes religieux aux côtés d'effervescents espaces culturels.

Éclectique et dynamique, México semble ne jamais dormir. Pourtant les *Chilangos* (surnom des habitants de la capitale, tout comme *Capitalinos*) prennent aussi le temps de vivre. Flâner dans les parcs, faire éterniser un *almuerzo* dans une *cantina* ou savourer un cocktail dans une *mezcalería* font partie de la multitude de petits et grands bonheurs qu'offre cette passionnante capitale.

Rodolphe Lasnes a vécu en France, en Espagne, en Arabie Saoudite et en Irlande avant de s'installer à Montréal. Parallèlement à son métier d'auteur de guides et d'articles de voyage, il est écrivain. Rodolphe a aussi contribué à une vingtaine de guides Ulysse, dont *Ouest Canadien*, *Nouvelle-Angleterre*, *Hawaii*, *Nicaragua*, *Costa Rica*, *Panamá*, *Le Québec* et *Montréal*.

www.rodolphelasnes.ca

Alameda Central et Palacio de Bellas Artes.

le meilleur de
méxico

méxico

En **10** images emblématiques

3 **La cuisine de rue** (p. 154)

4 **La *lucha libre* (p. 45)**

Le Palacio de Bellas Artes (p. 37)

2 **Les ruines aztèques du Templo Mayor (p. 32)**

En quelques heures

↘ Une balade dans le Centro Histórico (p. 28)

Traverser les époques, des Aztèques au XXᵉ s., aux alentours du Zócalo.

↘ Une promenade dans le Bosque de Chapultepec (p. 61)

Conjuguer art et plein air, puis grimper jusqu'au Castillo pour une vue panoramique sur la ville.

↘ Une visite du Museo Nacional de Antropología (p. 61)

Admirer les plus beaux vestiges archéologiques du pays, dont la Piedra del Sol.

En une journée

Ce qui précède plus...

↘ La visite du Palacio de Bellas Artes (p. 37)

Un splendide palais Art nouveau en marbre blanc abritant des chefs-d'œuvre artistiques.

↘ Goûter la cuisine mexicaine : populaire et conviviale au Mercado San Juan (p. 40) ou chez Coox Hanal (p. 39), plus recherchée au restaurant Azul Histórico (p. 42)

⟶ Faire une récolte de souvenirs au Mercado de Artesanías La Ciudadela (p. 46)

Vêtements typiques, bijoux colorés et autres produits d'artisanat de qualité réunis en un seul endroit.

En un long week-end

Ce qui précède plus…

⟶ La visite d'un des grands marchés de la capitale, comme le **Mercado de la Merced** (p. 35)

Pour admirer les couleurs des fruits et légumes exotiques, se perdre au milieu d'étals colorés et en profiter pour manger sur place.

⟶ La découverte des quartiers en dehors du centre historique : optez pour Roma et La Condesa (p. 80) pour prendre le pouls de la ville moderne, allez jusqu'à Coyoacán (p. 94) pour ressentir son âme villageoise.

⟶ Passez un bon moment dans une *cantina*, comme la Cantina El Gallo de Oro (p. 40)

Tequila, petits plats et ambiance populaire pour une expérience locale.

⟶ Réservez une soirée pour un spectacle typiquement mexicain : danses traditionnelles au Ballet Folklórico de México (p. 46), *lucha libre* aux *arenas* México ou Coliseo (p. 45), mariachis à la Plaza Garibaldi (p. 44)

En 10 repères

1 Mégapole

Avec près de 22 millions d'habitants, l'agglomération de México se classe parmi les 10 plus peuplées de la planète, tandis que la Ciudad de México, avec 9 millions de personnes, détient la palme de la ville la plus peuplée d'Amérique du Nord. Couvrant 1 500 km² (trois fois la taille de l'île de Montréal), la CDMX remplit une vallée entourée de volcans et est perchée à 2 240 m d'altitude.

2 *Bandera*

L'immense drapeau mexicain qui flotte au-dessus du Zócalo symbolise toute la fierté nationale. Sur son blason central apparaît un aigle dévorant un serpent, perché sur un figuier de Barbarie. Selon la légende, c'était le signe divin que les Mexicas recherchaient pour fonder leur capitale, Tenochtitlán. Ils le trouvèrent, après avoir erré des centaines d'années, sur une île au milieu du lac Texcoco, maintenant asséché et recouvert par la ville de México.

3 *Chilango*

Chilangos, *Chilangas* : ainsi sont souvent dénommés les habitants de l'agglomération de México. L'origine du mot est incertaine; il pourrait venir des langues nahuatl ou maya, mais sa connotation fut long-

temps péjorative, désignant les nouveaux venus dans la capitale. Aujourd'hui, les *Capitalinos* (autre gentilé pour les habitants de la CDMX) portent fièrement cette appellation.

4 *Tacos al pastor*
Indissociables de la gastronomie mexicaine, les *tacos* sont présents dans toutes les régions du pays. À México, on les savoure de moult façons, mais ceux *al pastor* sont considérés comme la spécialité locale. Cette recette, incluant viande (porc ou bœuf) marinée et morceaux d'ananas, tire son origine des kebabs et shawarmas du Moyen-Orient, que des immigrants libanais ont astucieusement mélangés à la cuisine mexicaine.

5 Marchés
Qu'ils soient énormes et couverts ou temporaires et réduits à quelques kiosques sur le bord d'un trottoir, les marchés sont au cœur de la vie quotidienne de México. Véritable vitrine de la culture populaire du pays, ils se colorent de cactus et poivrons verts, de grenades rouges, de *piñatas* bariolées, de fleurs exotiques et d'une foule d'autres choses dévoilant autant de facettes du mode de vie local.

En **10** repères *(suite)*

6 Architecture

México est une véritable encyclopédie vivante de l'histoire de l'architecture. Aux pyramides aztèques ont succédé l'architecture baroque, puis le flamboyant style churrigueresque au XVIIIe s. et d'élégants immeubles néoclassiques. Plus récents, l'Art nouveau et l'Art déco habillent de nombreux édifices du centre et du quartier La Condesa, jouxtant d'impressionnantes structures modernes.

7 *Fútbol*

S'il y a un sport qui enflamme la passion des Mexicains, c'est bien le football (soccer)! Joué partout et dans toutes les classes de la société, il est d'autant plus important dans la conscience collective des Mexicains qu'il n'est pas si éloigné du jeu de pelote pratiqué par leurs ancêtres, et que le pays a accueilli par deux fois la Coupe du monde de football. À México, le temple du dieu football est l'Estadio Azteca, l'un des plus grands du monde.

8 *La Catrina*

Ce squelette féminin richement vêtu, emblématique du jour des Morts, est un personnage populaire de la culture mexicaine. On le

retrouve non seulement dans l'artisanat local, mais aussi dans les peintures murales égaillant les rues de la capitale, telles les fresques du célèbre Diego Rivera. Le mot *Catrina*, dérivé de *catrín*, désigne une personne élégante et bourgeoise. Le squelette démontre que les classes sociales sont égales devant la mort.

9 Littérature

México est une ville qui a inspiré de nombreux auteurs, dont Octavio Paz, Prix Nobel de littérature en 1990. Les livres sont toujours à l'honneur dans la capitale. Magnifiques bibliothèques, librairies extravagantes et autres marchés aux livres en sont la preuve.

10 Hernán Cortés et La Malinche

Le conquistador espagnol, connu pour avoir vaincu l'Empire aztèque en 1521 et bâti la capitale de la Nouvelle-Espagne sur les ruines de Tenochtitlán, et sa concubine indigène, La Malinche, forment un couple controversé au Mexique. Ils furent à l'origine du métissage qui a forgé l'identité nationale. À ce titre, La Malinche est souvent considérée comme la mère symbolique du peuple mexicain, et Cortés, comme l'ancêtre maudit.

En **15** dates importantes

1 **1325 :** la cité de Tenochtitlán est fondée par les Aztèques sur une île du lac Texcoco.

2 **1519 :** le conquistador espagnol Hernán Cortés débarque au Mexique et pénètre triomphalement le 8 novembre dans Tenochtitlán, devenue l'impressionnante capitale de l'Empire aztèque.

3 **1521 :** pour mater la rébellion des Aztèques qui l'ont bouté hors de Tenochtitlán, Hernán Cortés et ses troupes ravagent la ville. Il bâtit sur ses ruines la capitale de la Nouvelle-Espagne, México.

4 **1821 :** l'arrivée des troupes de l'armée de Trigarante à México, menées par Agustín Itubirde (futur empereur Augustin Ier), marque l'indépendance du Mexique.

5 **1847 :** la bataille de México confirme la victoire des États-Unis lors de la guerre américano-mexicaine. Le Mexique perd près de la moitié de son territoire (actuels États de l'Arizona, du Colorado, de la Californie, du Nevada, du Nouveau-Mexique, de l'Utah et du Texas).

6 **1863 :** alliés des conservateurs mexicains, les troupes françaises de Napoléon III envahissent la capitale. Maximilien de Habsbourg devient empereur du Mexique. La France quittera le pays en 1867.

7 **1910 :** la Révolution mexicaine débute à la suite de la réélection controversée du président Porfirio Díaz. Elle s'achèvera en 1920 et 2 millions de morts plus tard, avec l'arrivée au pouvoir d'Álvaro Obregón.

8 **1940:** Léon Trotsky est assassiné par les Soviétiques dans sa résidence de Coyoacán.

9 **1968:** dans la foulée des contestations sociales de 1968, les étudiants de l'UNAM réclament plus de démocratie. Le 2 octobre, dans le quartier de Tlatelolco, une manifestation est violemment réprimée, faisant 200 à 300 morts. Le 12 octobre, les 19ᵉ Jeux olympiques d'été débutent à México.

10 **1978:** les vestiges du **Templo Mayor**, cœur de l'ancienne ville de Tenochtitlán, sont découverts fortuitement lors de travaux dans le centre de México.

11 **1985:** le 19 septembre, un tremblement de terre d'une grande magnitude (8,1 sur l'échelle de Richter) frappe la capitale, provoquant la mort de 10 000 personnes.

12 **1986:** le Mexique organise la Coupe du monde de football pour la seconde fois après celle de 1970.

13 **1987:** le centre historique et les canaux de Xochimilco sont classés au patrimoine de l'humanité de l'UNESCO.

14 **2016:** México Distrito Federal est rebaptisé Ciudad de México (CDMX).

15 **2017:** le 19 septembre, un puissant séisme fait trembler México, 32 ans jour pour jour après celui de 1985.

En **5** expériences uniques

En **5** établissements au décor exceptionnel

`

En **12** expériences culturelles

En **10** icônes architecturales

En **10** endroits pour faire plaisir aux enfants

En 10 attraits gratuits

En 5 occasions de profiter du plein air

En **5** vues exceptionnelles

1 La vallée de México à 360°
   depuis le *mirador* de la **Torre
   Latinoamericana** (p. 36)

2 Tout le centre-ville depuis
   le Castillo de Chapultepec
   (p. 66)

3 Le Zócalo et la cathédrale depuis
   la terrasse du Gran Hotel de la
   Ciudad de México (p. 135)

4 Le Paseo de la Reforma depuis
   le King Cole Bar (p. 58)

5 La vue panoramique sur la
   ville depuis le sommet du
   Monumento y Museo a la
   Revolución (p. 52)

En **5** belles terrasses

1 Le Café Jekemir, pour sa
   tranquillité au cœur du Centro
   (p. 39)

2 Le Jardín Chapultepec, oasis
   urbaine où coule la bière
   artisanale (p. 58)

3 Le café de la Librería Porrúa,
   face au Lago Mayor du Bosque
   de Chapultepec (p. 68)

4 Los Danzantes, face au Jardín
   Centenario de Coyoacán
   (p. 103)

5 La Terrazza, restaurant du
   Gran Hotel de la Ciudad de
   México, pour sa vue sur le
   Zócalo (p. 135)

En **13** endroits pour goûter la cuisine locale

En **5** grandes tables

1 Pujol, le meilleur restaurant du pays (p. 77)

2 Quintonil, pour sa haute gastronomie accessible (p. 77)

3 Máximo Bistrot Local, pour une superbe cuisine du marché (p. 88)

4 Guzina Oaxaca, pour découvrir la cuisine d'Oaxaca (p. 77)

5 **Limosneros**, pour sa vision moderne des classiques mexicains (p. 42)

En **5** incontournables du lèche-vitrine

1 El Bazaar Sábado, pour ses peintres et artisans (p. 113)

2 Le Mercado de Artesanías La Ciudadela, pour trouver LE souvenir parfait (p. 46)

3 La Casa Fusión, pour dénicher vêtements et accessoires *hechos en México* (p. 60)

4 Pineda Covalin, pour ses colorés objets originaux de qualité (p. 79)

5 The Shops at Downtown, pour les boutiques de mode exclusivement mexicaines (p. 47)

LA NUCLEA

PULQUERÍA

En **15** incontournables de la vie nocturne

explorer méxico

1 ↘

Centro Histórico

À voir, à faire

(voir carte p. 31)

Le cœur de la capitale fut témoin de toute l'histoire de la ville et du pays. C'est ici que les Aztèques édifièrent leur principal sanctuaire, le Templo Mayor, sur les ruines duquel les conquistadors bâtirent les bases de leur empire. C'est aussi dans le Centro que l'on admire les œuvres architecturales les plus remarquables et les gigantesques fresques murales signées par les plus grands artistes mexicains.

Populaire, affairé, coloré, le **Centro Histórico** ★ ★ ★ est un quartier très animé. Depuis les vieilles rues commerçantes du quartier de La Merced jusqu'aux rues piétonnes qui relient le Zócalo à l'Alameda Central, l'activité est incessante. C'est en marchant et en prenant son temps que l'on apprécie ce quartier, en se promenant sur les voies pavées au son d'antiques orgues de Barbarie, en se posant, entre deux musées, dans les plus vénérables *cantinas* de la ville.

Ce secteur, le plus touristique de la métropole, a été revitalisé depuis les années 2010. Propreté et sécurité sont au rendez-vous, offrant une découverte d'autant plus agréable.

Le circuit débute sur la place représentant le centre emblématique de la capitale (métro Zócalo).

Zócalo ★ [1]

Bien qu'officiellement baptisée **Plaza de la Constitución**, cette vaste place bétonnée, régulièrement animée par des événements culturels, est communément appelée le Zócalo. Planté d'un immense drapeau mexicain au centre et entouré de certains des plus importants édifices de la métropole, le Zócalo est aménagé directement sur les ruines

Centro Histórico

Catedral Metropolitana.

de l'ancienne cité de Tenochtitlán, qui fut rasée en 1521 par les Espagnols.

Catedral Metropolitana ★ ★ ★ [2]

entrée libre; tlj 8h à 19h; côté nord du Zócalo,
www.arquidiocesismexico.org.mx

Les travaux de construction de la cathédrale de México (dont le nom complet est Catedral Metropolitana de la Asunción de la Santísima Virgen María a los Cielos) ont débuté en 1562 et se sont échelonnés sur plusieurs centaines d'années. D'abord érigée par les conquistadors avec les pierres provenant du Templo Mayor (voir plus loin), elle affiche un amalgame de styles baroque churrigueresque, Renaissance et néoclassique. À l'intérieur, cinq nefs abritent 14 chapelles, un chœur entouré de deux immenses orgues et des autels richement décorés. Devant l'autel de l'entrée – Altar del Perdón – se trouve la statue d'un Christ noir, le **Cristo del Veneno**, qui, associé à des guérisons, attire une foule de dévots. Si l'accès est possible, ne manquez pas de monter sur le toit *(20$M)* pour admirer les cloches monumentales et la vue panoramique sur le centre historique.

Palacio Nacional ★ ★ ★ [3]

entrée libre (présentation obligatoire d'une pièce d'identité); mar-dim 10h à 17h;
Moneda 9, 3688-1255

Sur le côté est du Zócalo s'allonge la façade de cet immense édifice. Hernán Cortés l'a fait construire dès 1521, à deux pas du Templo Mayor. Le palais, qui loge encore aujourd'hui les bureaux du président mexicain, abrite une dizaine de **fresques** peintes par le célèbre mura-

Centro Histórico

À voir, à faire ★

1. DY Zócalo/Plaza de la Constitución
2. DY Catedral Metropolitana/Cristo del Veneno
3. DY Palacio Nacional/*Epopeya del pueblo mexicano*
4. DX Templo Mayor/Museo del Templo Mayor
5. DX Templo de La Enseñanza
6. DX Antiguo Colegio de San Ildefonso
7. DX Secretaría de Educación Pública
8. CX Plaza de Santo Domingo/Iglesia de Santo Domingo/Palacio de la Escuela de Medicina/Museo de la Medicina Mexicana
9. DY Museo de la Ciudad de México
10. EZ Mercado de la Merced
11. EZ Mercado Sonora
12. CY Torre Latinoamericana/Miralto
13. CX Palacio Postal/Museo Histórico Naval
14. CX Museo Nacional de Arte (MUNAL)
15. BX Palacio de Bellas Artes/Museo del Palacio de Bellas Artes/Museo Nacional de Arquitectura
16. BX Alameda Central
17. BX Museo Franz Mayer/Plaza de la Santa Veracruz
18. BX Museo Mural Diego Rivera
19. BY Museo de Arte Popular
20. AY Biblioteca de México/Centro de la Imagen

Cafés et restos ●

21. DY Al Andalus
22. CY Azul Histórico
23. CY Café Jekemir
24. CY Cantina El Gallo de Oro
25. DY Cantina Nuevo León
26. CY Casino Español
27. CY Churrería El Moro
28. CY Coox Hanal
29. CY Danubio
30. CX Limosneros
31. BY Mercado San Juan
32. DZ Restaurante Bar Chon
33. BY Restaurante Sin Nombre
34. CX Sanborns Azulejos
35. BY Taquería El Pescadito
36. CY Taquería Los Cocuyos
37. CY Zéfiro

Bars et boîtes de nuit ♪

38. CX Bar La Opera
39. BY Bósforo
40. CY Cantina La Mascota
41. DX Cantina Salón España
42. CY Corredor Cultural Regina
43. CY La Faena
44. CX Marrakech Salón
45. CX Plaza Garibaldi/Salón Tenampa/Pulquería Hermosa Hortensia
46. BY Pulquería Las Duelistas
47. CY Zinco Jazz Club

Culture et divertissement ◆

48. BX Palacio de Bellas Artes/Ballet Folklórico de México

Lèche-vitrine ■

49. CY ¡Ay Güey!
50. CZ Antigua Madero Librería
51. CY Camisería Bolívar
52. CY Dulcería de Celaya
53. CX Galerías Castillo
54. BX Mercado de Artesanías La Ciudadela
55. CY Pastelería Ideal
56. CY The Shops at Downtown/Fábrica Social/Prison Art
57. BX Tienda MAP

Logement ▲

58. BX Chaya Boutique Bed & Breakfast
59. CX Chillout Flats Bed & Breakfast
60. CY Downtown Beds
61. CY Downtown México
62. CY Gran Hotel de la Ciudad de México
63. CY Hostal Regina
64. DX Hotel Catedral
65. CY Hotel Principal

Centro Histórico

Templo Mayor.

liste **Diego Rivera**, entre autres l'***Epopeya del pueblo mexicano***. Ce triptyque (1929-1935) ornant les murs de l'escalier principal présente l'histoire du peuple mexicain, de l'époque préhispanique à l'ère moderne. Le palais compte également un petit jardin botanique, la galerie nationale (expositions temporaires et musée retraçant l'histoire du palais), l'antique chambre parlementaire et les anciens appartements de Benito Juárez (1806-1872), qui fut président du Mexique à deux reprises – noter qu'il fut le premier président mexicain d'origine autochtone (zapotèque).

Templo Mayor ★★★ [4]
70$M; mar-dim 9h à 17h; Seminario 8, 4040-5600, www.templomayor.inah.gob.mx
Juste à l'est de la cathédrale métropolitaine s'étendent les vestiges du Huey Teocalli («Grand Temple» en langue aztèque), dédié notamment à Huitzilopochtli, dieu de la Guerre et du Soleil, et à Tláloc, dieu de la Pluie. Le site fut découvert fortuitement en 1978 par des travailleurs de la construction qui s'affairaient dans le secteur. Investissant la zone, où se dressaient des bâtiments coloniaux, les fouilles ont dévoilé les ruines du principal sanctuaire aztèque, le Templo Mayor, qui fut érigé entre 1325 et 1519. Bien que l'on puisse apprécier l'ampleur de l'édifice depuis les rues entourant la zone archéologique à ciel ouvert, son accès est réservé aux visiteurs du **Museo del Templo Mayor**. On admire ainsi de plus près les différentes étapes d'édification de ce temple représentant le centre de l'univers aztèque, des sculptures de têtes de serpent, des colonnes et cloisons de pierres crénelées et

sculptées de bas-reliefs, souvent peints de couleurs vives. L'excellent musée expose les artéfacts retrouvés sur les lieux, dont un monolithe de 12 tonnes représentant Tlaltecuhtli.

Empruntez l'Avenida República de Argentina, puis tournez à gauche dans la Calle Donceles.

Templo de La Enseñanza ★★
[5]
entrée libre; lun-sam 8h30 à 18h30, dim 11h à 14h; Donceles 102, 5702-1843, http://elpilarlaensenanza.blogspot.ca; métro Zócalo

Cette église officiellement baptisée Nuestra Señora del Pilar est un chef-d'œuvre baroque qui fut achevé en 1778. Son entrée, relativement discrète, ne laisse pas présager la richesse de son intérieur. Le style baroque churrigueresque

Le muralisme mexicain

C'est après la Révolution de 1910-1920 que naquit ce mouvement artistique mexicain, sous l'impulsion de José Vasconcelos, alors ministre de l'Éducation. Son idée fut de décorer les bâtiments publics de fresques qui permettraient d'éduquer la population, sans omettre les analphabètes. Ce projet enthousiasma rapidement plusieurs artistes, qui voyaient ainsi l'occasion de rendre l'art accessible à tous. Diego Rivera (1886-1957), José Clemente Orozco (1883-1949), David Alfaro Siqueiros (1896-1974) et Rufino Tamayo (1899-1991) furent les peintres les plus marquants de ce mouvement. Sur les murs de nombreux édifices gouvernementaux, leurs fresques monumentales racontent l'histoire officielle du Mexique, en présentant aussi bien les traditions préhispaniques que la Conquête espagnole, les révolutions ou l'industrialisation du pays. Ce mouvement a profondément marqué l'art mexicain, mais il a aussi influencé des peintres étrangers, comme Jackson Pollock, et s'est exporté jusqu'aux États-Unis, où Diego Rivera signa plusieurs murales.

Centro Histórico

Antiguo Colegio de San Ildefonso.

est ici à son comble, avec de magnifiques autels dorés ornés de statues de saints.

———

Revenez sur l'Avenida República de Argentina, puis tournez à droite dans la Calle Justo Sierra.

Antiguo Colegio de San Ildefonso ★★ [6]

50$M, mar entrée libre; mar 10h à 20h, mer-dim 10h à 18h; Justo Sierra 16, 3602-0000, www.sanildefonso.org.mx; métro Zócalo

Cette ancienne école construite en 1588 abrite aujourd'hui un musée d'art. Outre des expositions temporaires variées, on y admire sous les arcades bordant la cour intérieure des fresques murales, dont la célèbre *Cortés y La Malinche* (1926), peinte par José Clemente Orozco, et *La Creación* (1922), première œuvre muraliste de Diego Rivera.

Poursuivez vers le nord sur l'Avenida República de Argentina.

Secretaría de Educación Pública ★ [7]

entrée libre (présentation obligatoire d'une pièce d'identité); lun-ven 9h à 17h; Av. República de Argentina 28, 3601-7599, www.sep.gob.mx; métro Zócalo

Les amateurs de murales ne manqueront pas la visite du ministère de l'Éducation, dont les murs sont décorés de dizaines d'œuvres exécutées par Diego Rivera. Elles illustrent aussi bien la Révolution que les traditions populaires mexicaines.

———

Prenez la Calle República de Venezuela à gauche.

Plaza de Santo Domingo ★ [8]

métro Allende

Cette agréable place publique parée d'une fontaine fut la seconde place

Plaza de Santo Domingo.

coloniale en importance de México. Elle est entourée de jolis édifices historiques, entre autres l'**Iglesia de Santo Domingo**, à la façade baroque (XVIIIe s.) et, côté est, le **Palacio de la Escuela de Medicina**. Ce dernier, qui accueillit de 1736 à 1820 le tribunal de l'Inquisition, loge aujourd'hui le **Museo de la Medicina Mexicana**. Tous les jours, des écrivains publics offrent leurs services sous les arcades ouest de la place.

Rejoignez le Zócalo, puis poursuivez vers le sud par l'Avenida Pino Suárez.

Museo de la Ciudad de México [9]

30$M; mar-dim 10h à 17h30; Av. Pino Suárez 30, 5522-9936; métro Zócalo ou Pino Suárez

Derrière la façade baroque de cet imposant édifice construit en 1776,

de vastes patios avec arcades ainsi que plusieurs salles renferment une collection de peintures et de cartes illustrant l'histoire de la ville. Des expositions temporaires et des activités culturelles animent aussi régulièrement les lieux.

Rejoignez le Mercado de la Merced en empruntant les rues animées (Mondeda ou Corregidora, par exemple) du Barrio de La Merced, dont la tradition commerçante remonte au XVIe s. Ce quartier offre une atmosphère populaire et authentique, mais notez que la prostitution y est courante, de jour comme de nuit.

Mercado de la Merced ★ [10]

lun-sam 5h à 19h, dim 6h à 17h; Rosario, angle Adolfo Gurrión, 5522-7250; métro Merced

Prévoyez au moins 2h pour visiter le plus grand marché de la capitale.

Palacio Postal.

On se perd avec délice entre les centaines d'étals colorés qui proposent absolument tous les produits alimentaires du pays, sans compter les fleurs et tout ce dont vous pourriez avoir besoin. Juste à l'est du bâtiment principal, une autre structure rassemble des dizaines de **kiosques de restauration** en concurrence avec les kiosques extérieurs de la Calle Rosario. Les amateurs d'ésotérisme se rendront juste au sud de la Calle Fray Servando Teresa de Myer pour visiter le **Mercado Sonora** [11], où herbes curatives et objets de sorcellerie sont vendus.

Retournez vers le Zócalo, où vous emprunterez vers l'ouest l'agréable artère piétonne qu'est l'Avenida Francisco I. Madero.

Torre Latinoamericana [12]
110$M; tlj 9h à 22h; Eje Central Lázaro Cárdenas 2, 5518-7423, www.miradorlatino.com; métro Bellas Artes ou San Juan de Letrán

Cette tour de 188 m a perdu depuis longtemps son titre de plus haut gratte-ciel de México, mais la vue depuis le *mirador* du 44e étage reste impressionnante. Au 40e étage, le resto-bar **Miralto** *(tlj 9h à 23h; 5518-1710, www.miralto.com.mx)* permet de profiter du même panorama, sans avoir à payer l'accès au *mirador*.

Palacio Postal ★ [13]
entrée libre; lun-ven 8h à 19h30, sam 10h à 16h, dim 10h à 14h; Tacuba 1, 5340-3300; métro Bellas Artes

Inauguré en 1907 par le président Porfirio Díaz, le magnifique bureau de poste central présente une architecture éclectique aux accents platéresques et gothiques. À l'inté-

Museo Nacional de Arte (MUNAL).

rieur, outre les activités postales, se trouvent une exposition sur l'histoire de la poste ainsi que le **Museo Histórico Naval** *(mar-ven 10h à 17h, sam-dim 10h à 14h)*, avec ses fidèles modèles réduits de navires. Situé au quatrième étage, ce dernier offre de belles vues sur le Palacio de Bellas Artes (voir ci-après).

Museo Nacional de Arte (MUNAL) ★ [14]
65$M; mar-dim 10h à 17h30, visites guidées gratuites à 12h et 14h; Tacuba 8, 8647-5430, www.munal.mx; métro Allende ou Bellas Artes

Logé dans un somptueux édifice de style éclectique construit au début du XXᵉ s., le MUNAL présente des œuvres de grands maîtres mexicains et internationaux du XVIᵉ au XXᵉ s., dont des toiles du paysagiste José María Velasco Gómez. Il propose aussi d'intéressantes activités culturelles gratuites, entre autres des récitals de piano *(sam à 11h30)* et des projections de films mexicains *(dim à 11h et 16h)*. Présentez-vous 30 min avant les représentations pour vous assurer d'avoir une place.

Palacio de Bellas Artes ★★★ [15]
65$M, visites guidées gratuites, dim entrée libre; mar-dim 10h à 18h; Av. Juárez, angle Eje Central Lázaro Cárdenas, 8647-6500, https://palacio.inba.gob.mx; métro Bellas Artes

Construit en marbre blanc entre 1904 et 1934, ce splendide palais Art nouveau est l'un des bâtiments emblématiques de México. L'intérieur de style Art déco dévoile d'impressionnants vitraux ainsi que plusieurs murales de Diego Rivera et José Clemente Orozco, notamment. Celles-ci sont visibles lors de la visite du **Museo del Palacio de Bellas Artes**, qui comprend aussi des œuvres de peintres mexicains.

Hemiciclo a Juárez, Alameda Central.

L'édifice abrite également une salle de spectacle où se produit le **Ballet Folklórico de México** (voir p. 46), ainsi que le **Museo Nacional de Arquitectura** *(50$M; expositions temporaires d'architecture contemporaine)*.

Alameda Central ★★ [16]
www.alamedacentral.cdmx.gob.mx;
métro Bellas Artes ou Hidalgo

Verdoyant, agréable et ombragé, le plus vieux parc public d'Amérique latine recèle plusieurs fontaines à thématique mythologique et divers monuments tels que l'**Hemiciclo a Juárez**.

Museo Franz Mayer ★★ [17]
50$M, mar entrée libre; mar-ven 10h à 17h, sam-dim 10h à 19h; Hidalgo 45, 5518-2266,
www.franzmayer.org.mx

Du côté nord de l'Alameda Central, dans le cadre historique d'un ancien hôpital érigé au XVIIIe s., ce musée présente une riche collection d'objets décoratifs (meubles, argenterie, céramiques) datant du XVIe au XIXe s., et comprend une somptueuse bibliothèque. Devant l'édifice, la petite **Plaza de la Santa Veracruz** est le théâtre d'une colorée foire aux livres le samedi.

Museo Mural Diego Rivera ★ [18]
35$M, dim entrée libre; mar-dim 10h à 18h; Balderas 202, 1555-1900,
https://museomuraldiegorivera.inba.gob.mx;
métro Hidalgo

Juste à l'ouest de l'Alameda Central, les inconditionnels de Diego Rivera admireront ici la fresque *Sueño de una tarde dominical en la Alameda central* (1947). Cette murale est truffée de personnages liés à l'histoire du Mexique, notamment Maximilien de Habsbourg, Hernán Cortés,

Frida Kahlo et *La Catrina* tenant la main d'un Diego Rivera enfant. Le reste du musée est consacré à de petites expositions temporaires autour de l'artiste.

———

Rejoignez le côté sud de l'Alameda Central et empruntez la Calle Revillagigedo.

Museo de Arte Popular ★★ [19]

60$M, dim entrée libre et en tout temps pour les moins de 18 ans; mar-dim 10h à 18h, mer jusqu'à 21h; Revillagigedo 11, 5510-2201, www.map.cdmx.gob.mx; métro Bellas Artes ou Juárez

Dans un écrin moderne, ce passionnant musée œuvre pour la diffusion et la préservation des savoir-faire traditionnels issus de toutes les régions du Mexique par le biais de colorées expositions d'artisanat et d'art populaire. La boutique (voir plus loin) vaut aussi le détour.

Biblioteca de México ★ [20]

entrée libre; tlj 8h30 à 19h30; Plaza de la Ciudadela 4, 4155-0830, www.bibliotecademexico.gob.mx; métro Balderas

Installée dans une ancienne manufacture de tabac, cette grande bibliothèque plaira aux amateurs de livres. Autour de ses quatre patios, cinq salles rendent hommage à autant de grands écrivains mexicains, en accueillant leurs bibliothèques personnelles dans des écrins au design recherché. Dans le même bâtiment (accès par l'extérieur), le **Centro de la Imagen** *(mer-dim 10h à 19h)* propose des expositions temporaires des œuvres de photographes mexicains contemporains.

Cafés et restos

(voir carte p. 31)

Café Jekemir $ [23]

lun-sam 8h à 21h; Regina 7, 5709-7038

Avec sa terrasse invitante donnant sur la tranquille Plaza de Regina et ses bons cafés (l'espresso est particulièrement réussi), le Jekemir offre une pause bien agréable. D'autant plus que ses pâtisseries et petites bouchées moyen-orientales sont tout aussi tentantes.

Churrería El Moro $ [27]

tlj 24h/24; Eje Central Lázaro Cárdenas 42, 5512-0896, www.elmoro.mx

Des *churros* frais et d'onctueuses tasses de chocolat chaud, voilà la recette espagnole du succès de cette *churrería* depuis 1935. L'adresse d'origine, très populaire, est la seule ouverte jour et nuit, mais d'autres succursales, plus modernes mais toujours aussi joliment parées d'azulejos, permettent de faire une pause gourmande dans les quartiers de Polanco, La Condesa ou encore Roma Norte.

Coox Hanal $ [28]

tlj 10h30 à 18h30; Isabel la Católica 83, 5709-3613, www.cooxhanal.com

Il faut grimper jusqu'au deuxième étage d'un immeuble anonyme pour accéder à ce restaurant servant une excellente cuisine traditionnelle du Yucatán. Choisissez la spécialité maison, la *cochinita pibil*, une viande de porc marinée et cuite lentement, qui fond dans la bouche. Ambiance familiale, régulièrement animée par des musiciens folkloriques.

Taquería El Pescadito $ [35]
lun-ven 11h à 18h, sam-dim 10h à 18h; Av. Independencia 57, 5512-3263, www.facebook.com/elpescaditocentrohistorico

Poissons et fruits de mer agrémentent ici les *tacos*, *chile rellenos* et *quesadillas*. Pour un repas simple, économique et satisfaisant, dans un local agréablement coloré. Plusieurs autres succursales en ville.

Taquería Los Cocuyos $ [36]
tlj 10h à 5h; Bolívar 56

Ce petit kiosque donnant directement sur la rue (pas de siège ni de tables) est l'un des prétendants aux meilleurs *tacos* en ville. La spécialité maison: tripes, langue, œil de bœuf… Des abats apprêtés d'une telle façon qu'ils plaisent à tout le monde, et encore plus à l'heure de fermeture des bars.

Cantina El Gallo de Oro $-$$ [24]
lun-ven 13h à 0h, sam-dim 13h à 20h; Venustiano Carranza 35, angle Bolívar, 5521-1569

L'une des plus vieilles *cantinas* de la capitale, qui propose depuis 1874 un menu traditionnel, avec des spécialités comme le pied de bœuf en sauce verte et de savoureux plats de viande ou de poisson. Décor classique et agréable, pour un repas que l'on éternise à souhait.

Cantina Nuevo León $-$$ [25]
lun-sam 9h à 22h; Av. Pino Suárez 18, 5522-6383 ou 5542-9049

Seule une discrète porte à battant annonce cette vieille *cantina* traditionnelle proposant un menu typique de ces établissements populaires (viandes et *botanas*). Simple, satisfaisant et à deux pas du Zócalo.

Mercado San Juan $-$$ [31]
tlj 8h à 17h; Ernesto Pugibet 21

Ce marché convivial est le rendez-vous des gourmets de la capitale. Produits exotiques, viandes rares et fromages fins emplissent les étals, tandis que des dizaines de kiosques de restauration vendent tapas, sandwichs, fruits de mer et même steak de crocodile.

Al Andalus $$ [21]
tlj 9h à 18h; Mesones 171, 5522-2528

Les spécialités libanaises et arabes de cet accueillant restaurant se dégustent dans une belle demeure du XVIIe s. agrémentée d'agréables petites terrasses.

Restaurante Bar Chon $$ [32]
tlj 11h à 19h; Regina 160, 5542-0873

Au cœur du quartier de La Merced, ce restaurant se spécialise dans la cuisine préhispanique. On y goûte des mets peu courants tels que rat des champs, larves de fourmis, crocodile et d'autres plus connus comme *chapulines* (criquets grillés). Les palais moins aventureux apprécieront la présence au menu de plats plus classiques.

Sanborns Azulejos.

Sanborns Azulejos $$ [34]

tlj 7h à 1h; Av. Francisco I. Madero 4, 5868-2580, www.sanborns.com.mx

Le premier restaurant-boutique de cette chaîne bien connue au Mexique a vu le jour en 1919 dans ce splendide édifice du XVIe s. paré d'azulejos. L'intérieur est tout aussi impressionnant : vaste patio, fontaine, murales (dont une signée José Clemente Orozco)… Profitez du décor le temps d'un café ou d'un petit déjeuner typique, le reste du menu n'étant pas incontournable.

Zéfiro $$ [37]

mar-ven 13h à 17h, sam 13h à 18h; San Jerónimo 24, 5130-3385, www.zefiro.com.mx

Comme la plupart des restaurants des écoles hôtelières, celui-ci permet de vivre une belle expérience culinaire à prix raisonnable. La cuisine mexicaine contemporaine est

ici à l'honneur, servie dans le cadre raffiné de la salle aux accents baroques ou sur l'agréable terrasse.

Casino Español $$-$$$ [26]

tlj 8h à 18h; Isabel la Católica 29, 5521-8894, www.cassatt.mx

Dans un bel édifice au superbe plafond vitré, ce restaurant offre deux ambiances : plus simple et économique au rez-de-chaussée, légèrement plus cher et bien plus élégant à l'étage. Quel que soit votre choix, les spécialités espagnoles, dont une bonne paella, sont à l'honneur. Excellent service.

Restaurante Sin Nombre $$-$$$ [33]

mar-sam 14h à 0h; Luis Moya 31, 5510-2697

Ce petit local anonyme cache une adresse aussi discrète que délicieuse. Le court menu, qui s'adapte

Centro Histórico

Azul Histórico.

aux produits artisanaux de saison, revisite la gastronomie mexicaine régionale avec talent et propose aussi bien un lapin enrobé d'arachides que des fourmis *chicatanas* ou une salade de nopal (cactus). Ambiance décontractée, que l'on retrouve ensuite au bar voisin, le Bósforo (voir plus loin).

Azul Histórico $$$ [22]
tlj 9h à 23h30; Isabel la Católica 30, 5510-1316, http://azul.rest

La cuisine mexicaine revisitée par le chef Ricardo Muñoz Zurita s'attire de nombreux éloges, pour tous les repas de la journée. On la déguste ici dans l'un des patios du complexe appelé The Shops at Downtown (voir plus loin), dans une ambiance agréable. Deux autres adresses en ville (La Condesa et Ciudad Universitaria).

Limosneros $$$ [30]
lun 13h30 à 22h, mar-sam 13h30 à 23h, dim 13h à 18h; Allende 3, 5521-5576, http://limosneros.com.mx

L'élégante salle de ce restaurant, mariant vieux murs de pierres et déco contemporaine, est parfaitement à l'image du menu, qui revisite avec allégresse les classiques mexicains: *tacos* à l'hibiscus ou aux ailes de canard, *mole* rose et desserts recherchés (dont les irrésistibles *Volcanes*). Bon choix de vins, bières artisanales et alcools locaux.

Danubio $$$-$$$$ [29]
tlj 13h à 22h; República de Uruguay 3, 5521-0976, http://danubio.com

Un endroit de choix pour déguster poissons et fruits de mer dans un cadre délicieusement suranné, qui n'a pas changé depuis l'ouverture du restaurant en 1936. La cuisine, classique, propose aussi bien des huîtres gratinées que des filets de poisson sauce champagne et quelques spécialités basques.

Bars et boîtes de nuit

(voir carte p. 31)

Le **Corredor Cultural Regina** [42] *(Regina entre Bolívar et Av. 20 de Noviembre)*, la portion piétonne de la Calle Regina, se fait festif. Tous les soirs, les terrasses des nombreux bars et restaurants envahissent le pavé, alors que des musiciens de rue s'y produisent et que la bière coule à flots jusqu'aux petites heures de la nuit.

Bar La Opera [38]
lun-sam 13h à 0h, dim 13h à 18h; Av. 5 de Mayo 10, 5512-8959, http://barlaopera.com
Installé dans une des banquettes drapées de velours rouge, on remonte aisément le temps dans ce resto-bar qui a conservé, depuis son ouverture en 1895, le même décor digne des vieilles brasseries parisiennes. Le menu n'est pas toujours à la hauteur de l'atmosphère (et des prix), alors contentez-vous d'y boire une bière ou un cocktail accompagné d'*antojitos*.

Bósforo [39]
mar-sam 18h à 2h30, dim dès 16h; Luis Moya 31, 5512-1991
N'hésitez pas à pousser le rideau qui cache l'entrée de ce petit bar spécialisé dans les mezcals artisanaux. À l'intérieur, lumière tamisée,

Pousser la porte des cantinas

Aussi simples, populaires et chaleureuses que les tavernes d'antan, les *cantinas* sont des bars où l'on sert aussi à manger. Si certaines proposent un menu complet digne d'un restaurant, les plus typiques ne servent que des *botanas*, ces petits plats variés qui s'apparentent aux tapas espagnoles. Les *botanas* sont traditionnellement offertes gratuitement avec les boissons commandées, et peuvent aisément faire un repas complet, varié et économique. Fréquentées tant par les hommes que par les femmes, et même par les familles pour certaines, les *cantinas* sont d'excellents endroits pour s'immerger dans la culture locale, le temps de quelques verres et bouchées.

musique alternative forte, mais de bon goût, et une foule aussi branchée que décontractée.

Cantina La Mascota [40]
tlj 9h à 2h; Mesones 20, angle Bolívar, 5709-3414
Une vraie *cantina*, populaire à souhait, où les *botanas* (petits plats style tapas) sont servies gratui-

Centro Histórico

Centro Histórico

Masques de *luchadores*.

tement avec les consommations. Ambiance conviviale souvent animée par des musiciens.

Cantina Salón España [41]
lun-sam 10h à 23h, dim 10h à 19h;
Luis González Obregón 25, 5702-1719

Cette sympathique *cantina* traditionnelle propose 300 tequilas différentes. De savoureuses *botanas*, *tortas* et un menu du jour *(13h à 17h)* pourront accompagner vos boissons.

La Faena [43]
tlj 11h à 23h; Venustiano Carranza 49, 5510-4417

Avec son décor poussiéreux qui rend hommage à la corrida, ce grand resto-bar ne semble guère avoir changé depuis son inauguration en 1954. On profite de l'atmosphère délicieusement surannée le temps d'une bière ou d'un cocktail, que l'on peut accompagner de plats mexicains.

Marrakech Salón [44]
jeu-sam 18h à 2h30; República de Cuba 18

La bonne humeur est de mise dans ce cabaret-bar kitsch à souhait. La musique latino, les spectacles et l'absence de droits d'entrée attirent les foules. Bien que la clientèle soit majoritairement gay, tout le monde est bienvenu. On trouve dans cette même rue plusieurs autres adresses où se rencontre la communauté LGBT de México.

Plaza Garibaldi [45]
República de Honduras, angle Eje Central Lázaro Cárdenas

De nombreux groupes de mariachis donnent tous les soirs à cette place un air de fête. Installé à l'une des terrasses des bars des alentours (entre autres le populaire **Salón Tenampa** et la plus discrète **Pulquería Hermosa Hortensia**, cachée dans la ruelle qu'est le Callejón de la Amargura), vous entendrez moult sérénades et airs populaires. Pour commander une chanson, comptez 120$M. L'ambiance s'échauffe à partir de 21h, mais notez que de nuit, le quartier n'est pas très sécuritaire.

Pulquería Las Duelistas [46]
lun-sam 10h à 21h; Aranda 28, 1394-0958, www.facebook.com/PulqueriaLasDuelistas

Le *pulque* (voir p. 91) est la spécialité maison depuis 1912. On en déguste de multiples saveurs, dans une salle bariolée pleine à craquer. Ambiance conviviale et festive.

Lucha libre

Avec ses spectaculaires athlètes masqués, la lutte mexicaine est profondément ancrée dans la culture populaire nationale. Certains *luchadores* sont devenus de véritables légendes, comme El Santo et son masque d'argent, propulsé héros de films et de bandes dessinées. Les combats, dont les prises sont plus acrobatiques que violentes, sont hautement divertissants et des familles entières d'aficionados s'y rendent pour acclamer les *técnicos* (les gentils) et huer les *rudos* (les méchants) dans une ambiance bon enfant.

L'**Arena México** *(45$M à 250$M; Dr. Lavista 189, 5588-0266, www. cmll.com; métro Cuauhtémoc)* est le temple de la *lucha libre* dans la capitale. Des soirées de lutte y sont organisées la plupart des mardis (moins fréquentés), vendredis et dimanches. Plus petite et plus vieille, l'**Arena Coliseo** *(45$M à 230$M; República de Perú 77, 5526-7765, www.cmll.com; métro Bellas Artes ou Lagunilla)* propose des matchs de lutte le samedi. Mis à part les «rencontres au sommet» et les galas, il est généralement possible de se procurer des billets sur place (préférez les guichets officiels aux revendeurs).

La compagnie **Turibus** *(600$M; voir p. 158)* organise des tours guidés pour assister à une soirée de *lucha libre*.

Centro Histórico

Zinco Jazz Club [47]
à partir de 100$M; mer-sam 21h à 2h;
Motolinia 20, 5512-3369, www.zincojazz.com
Cette boîte de jazz, cachée au sous-sol d'un immeuble Art déco (Edificio Banco Mexicano), offre un décor intime et présente des concerts variés d'artistes mexicains et internationaux. Bon choix de vins et cocktails, menu de petites bouchées pour les accompagner.

Culture
et divertissement

(voir carte p. 31)

Palacio de Bellas Artes [48]
Av. Juárez, angle Eje Central Lázaro Cárdenas,
8647-6500, https://palacio.inba.gob.mx
La splendide salle de spectacle du « palais des beaux-arts » accueille régulièrement des opéras et des

Museo de Arte Popular.

concerts de musique classique, mais ce sont les représentations du **Ballet Folklórico de México** (à partir de 300$M; mer à 20h30 et dim à 9h30 et 20h30; www. balletfolkloricodemexico.com.mx) qu'il ne faut pas manquer. Les folklores des diverses régions du pays et les événements marquants nationaux y sont magnifiquement illustrés par des danseurs vêtus de costumes colorés.

Lèche-vitrine

(voir carte p. 31)

Alimentation

⊛ **Dulcería de Celaya** [52]
tlj 10h30 à 19h30; Av. 5 de Mayo 39, 5521-1787, www.dulceriadecelaya.com
Une confiserie au charmant décor suranné, qui régale les gourmands

de la capitale depuis 1874. Vaste choix de spécialités mexicaines, dont les *limón con coco* (citrons verts farcis à la noix de coco), et pour les palais aventureux, les bonbons au tamarin nappés de poudre de piment.

Pastelería Ideal [55]
tlj 6h30 à 21h30; Av. 16 de Septiembre 18, 5130-2970, http://pasteleriaideal.com.mx
Biscuits, viennoiseries, gâteaux colorés et une quantité d'autres spécialités pâtissières typiquement mexicaines sont confectionnés dans cette gigantesque et très populaire boutique depuis 1927.

Artisanat

⊛ **Mercado de Artesanías La Ciudadela** [54]
lun-sam 10h à 19h, dim 10h à 18h; Balderas, angle Plaza La Ciudadela, 5510-1828, http://laciudadela.com.mx

Les amateurs d'artisanat traditionnel pourront s'en donner à cœur joie dans ce grand marché où une impressionnante variété d'échoppes proposent à prix honnête produits textiles, céramiques, masques, bijoux et beaucoup d'autres idées de cadeaux et souvenirs typiquement mexicains.

Tienda MAP [57]
mar-dim 10h à 18h, mer jusqu'à 21h; Revillagigedo 11, https://tiendamap.com.mx

La boutique du **Museo de Arte Popular** (voir p. 39) propose une belle variété d'objets d'art et d'artisanat mexicain de qualité (*alebrijes*, *Catrinas*, bijoux, jouets, vêtements, céramiques…).

Galeries d'art

Galerías Castillo [53]
tlj 10h à 18h; Marconi 2, 5521-2644, www.galeriascastillo.com

Cette intéressante galerie d'art expose des peintures et sculptures d'artistes mexicains contemporains très en vogue, notamment certaines œuvres naïves et colorées de Fernando Andriacci.

Librairies

Antigua Madero Librería [50]
lun-ven 10h à 18h30, sam 10h à 14h; Isabel la Católica 97, 5510-2068

Une vieille librairie pleine de charme, dont les rayons sont remplis de livres anciens ou récents traitant de l'histoire de México, en espagnol, en anglais et parfois en français.

Vêtements et accessoires

¡Ay Güey! [49]
tlj 10h à 21h; Isabel la Católica 29, 5512-2278, www.ayguey.mx

On craque facilement pour leurs t-shirts et sacs aux motifs mexicains originaux (*Catrinas* et autres colorés squelettes, notamment). Articles de qualité et *hechos en México*, mais onéreux. Plusieurs succursales en ville.

The Shops at Downtown [56]
Isabel la Católica 30, www.facebook.com/TheShopsDT

Ce complexe installé dans un palace du XVIIe s. abrite l'hôtel **Downtown México** (voir p. 135), de bons restaurants (voir **Azul Histórico** p. 42) et de jolies boutiques, entre autres **Fábrica Social** (*www.fabricasocial.org*), un commerce équitable proposant de superbes vêtements féminins faits main au Mexique, et **Prison Art** (*www.prisonart.com.mx*) dont les sacs et t-shirts originaux sont fabriqués par des prisonniers en réinsertion.

Camisería Bolívar [51]
lun-sam 10h à 20h; Bolívar 23, 5512-9774, www.camiseriabolivar.com

Une boutique classique du centre historique où s'offrir une *guayabera*, cette légère et élégante chemise traditionnelle d'Amérique latine.

Centro Histórico

2 ↘

Paseo de la Reforma, Juárez et San Rafael

À voir, à faire

(voir carte p. 51)

Artère emblématique de México, le **Paseo de la Reforma** ★★ traverse le centre moderne de la capitale. Bordée d'édifices vertigineux, de luxueux hôtels et de galeries marchandes, cette longue avenue est aussi ornée de superbes œuvres d'art soulignant l'histoire du pays. Avec ses larges contre-allées ombragées, elle se prête bien à la promenade, et encore plus les dimanches quand les automobiles s'effacent pour laisser place aux piétons et cyclistes.

Il suffit de s'éloigner de quelques rues de cette artère pour découvrir des quartiers bien différents. La festive Zona Rosa, la populaire *colonia* (quartier) **San Rafael** ★ et les élégantes rues de **Juárez** sont autant de facettes de la capitale qui permettent de mieux saisir l'ADN de la Ciudad de México (CDMX).

Le circuit débute à l'extrémité nord-est du Bosque de Chapultepec, face à l'Estela de Luz (métro Chapultepec ou Sevilla).

Paseo de la Reforma ★★ [1]

Inaugurée en 1867, cette avenue fut originellement tracée durant l'intervention française par l'empereur Maximilien Ier de México. À l'image des grands boulevards parisiens, elle est bordée de larges allées piétonnes où l'on s'assoit volontiers sur les bancs publics à l'ombre des arbres. Longue de près de 15 km, elle est dominée par certains des plus impressionnants gratte-ciel modernes de la capitale (dont la

Le Paseo de la Reforma et le Monumento a la Independencia.

Torre Reforma, 244 m) et recèle de nombreuses œuvres d'art. On admire entre autres l'**Estela de Luz** [2] (2011), un monument de 104 m de hauteur commémorant le bicentenaire de l'indépendance du Mexique. Chaque dimanche *(8h à 14h, excepté le dernier dimanche du mois)*, le Paseo de la Reforma est fermé à la circulation automobile (entre le Bosque de Chapultepec et l'Avenida Juárez) pour laisser place aux cyclistes, piétons et autres patineurs à roulettes.

Monumento
a la Independencia ★ [3]
Paseo de la Reforma, angle Florencia;
métro Insurgentes

L'une des icônes de la ville, connue aussi sous le nom d'**El Ángel de la Independencia**, s'élève gracieusement au milieu d'un rond-point. Inaugurée en 1910, cette colonne, magnifiquement illuminée le soir venu, est coiffée de l'«Ange de l'indépendance», cette célèbre statue qui représente une femme ailée tenant une couronne de laurier. L'endroit est aussi un lieu de rassemblement pour les célébrations comme pour les manifestations.

Prenez la Calle Florencia, puis tournez à gauche dans la Calle Hamburgo.

Zona Rosa
entre Paseo de la Reforma (nord), Av. Chapultepec (sud), Av. de los Insurgentes (est) et Florencia (ouest); métro Sevilla ou Insurgentes

Effervescent, cosmopolite, éclectique et artistique, le petit secteur de la «zone rose» renferme un grand nombre de boutiques, restaurants, bars et boîtes de nuit. Il est agréable de s'y promener de

Paseo de la Reforma, Juárez et San Rafael

À voir, à faire ★

1.	BZ	Paseo de la Reforma	**5.**	DY	Templo de San Hipólito/Statue de San Judas Tadeo
2.	AZ	*Estela de Luz*	**6.**	DX	Biblioteca Vasconcelos
3.	BZ	Monumento a la Independencia	**7.**	EX	Plaza de las Tres Culturas
4.	CY	Monumento y Museo a la Revolución/Plaza de la República			

Cafés et restos ●

8.	AZ	Ánimo Ay! Caldos	**14.**	CZ	De Mar a Mar
9.	BZ	Beatricita	**15.**	BZ	La Casa de Toño
10.	BZ	Biwon	**16.**	CY	La Especial de París
11.	BZ	Bravo Lonchería	**17.**	CX	Mercado de San Cosme/Cochinita Power
12.	DY	Café La Habana	**18.**	BZ	Rokai
13.	CZ	Cafe NIN			

Bars et boîtes de nuit ☽

19.	CZ	Cicatriz Café	**23.**	BZ	Le Tachinomi Desu
20.	BZ	Jardín Chapultepec	**24.**	CZ	Parker & Lenox
21.	BZ	King Cole Bar	**25.**	CZ	Xaman Bar
22.	BZ	Kinky Bar			

Culture et divertissement ♦

26.	BY	Instituto Francés de América Latina

Lèche-vitrine ■

27.	CZ	Casa Fusión/Manuel Sekkel/Karani Art	**30.**	BZ	Mercado de Artesanías Insurgentes
28.	CZ	Guayaberas Yucatecas Mayabki	**31.**	CZ	Mucho – Mundo Chocolate
29.	CY	La Buena Estrella			

Logement ▲

32.	BZ	Casa Gonzáles	**34.**	BX	El Patio 77
33.	CY	CDMX Hostel Art Gallery	**35.**	CZ	Hotel Carlota

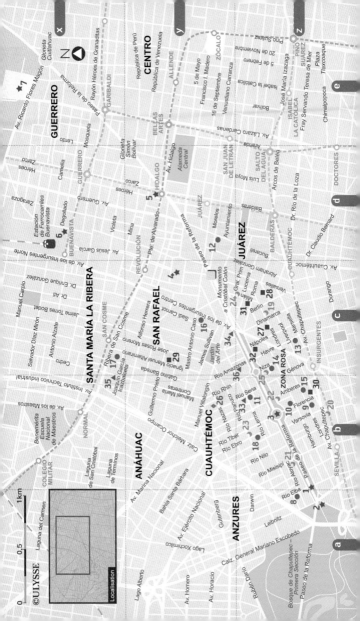

Monumento y Museo a la Revolución.

jour, notamment le long de la piétonne Calle Génova, comme de nuit, lorsque le secteur se transforme en un lieu hautement festif. C'est aussi le principal rendez-vous de la communauté gay de México.

Suivez vers l'est la Calle Londres, qui traverse l'agréable quartier de Juárez, puis prenez la Calle Milán pour rejoindre le Paseo de la Reforma, que vous longerez jusqu'au Monumento a Colón (monument à la gloire de Christophe Colomb). Empruntez ensuite la Calle Ignacio Ramírez plein nord.

Monumento y Museo a la Revolución ★★ [4]
50 à 80$M; lun-jeu 12h à 20h, ven-sam 12h à 22h, dim 10h à 20h; Plaza de la República, 5546-2115, www.mrm.mx; métro Revolución

Ce monument massif aux allures Art déco commémore la Révolu-

tion mexicaine (1910-1920). Entièrement rénové en 2010, il comporte un ascenseur panoramique montant jusqu'au dôme, d'où la vue à 360° est saisissante. À la base du monument se trouvent les restes de héros de la Révolution mexicaine et de plusieurs anciens présidents. Au sous-sol, le musée propose d'intéressantes expositions portant sur l'histoire de la Révolution. Le mémorial occupe le cœur de la **Plaza de la República**, une grande esplanade ornée d'une fontaine et présentant de jolis jeux de lumière le soir venu.

Reprenez le Paseo de la Reforma vers le nord jusqu'à l'Avenida Hidalgo.

Templo de San Hipólito ★★ [5]
entrée libre; tlj 7h à 19h; Av. Hidalgo 107, angle Paseo de la Reforma, 2517-1746; métro Hidalgo

De style baroque, l'église fut érigée en 1739 à l'endroit même où, le 30 juin 1520, de nombreux Espagnols qui faisaient partie des troupes de Cortés perdirent la vie au cours d'une tentative de fuir Tenochtitlán, un événement connu sous le nom de la *Noche Triste*. Important lieu de pèlerinage, l'église abrite une statue du vénéré **San Judas Tadeo** (saint patron des causes désespérées), célébré par les Mexicains le 28 de chaque mois, et en grande pompe le 28 octobre.

Marchez le long de l'Avenida Puente de Alvarado vers l'ouest jusqu'à l'Avenida Ribera de San Cosme, ou empruntez les transports en commun (autobus ou métro) jusqu'à la station de métro San Cosme.

San Rafael ★
métro San Cosme

Une promenade dans San Rafael permet de s'éloigner des zones touristiques et d'explorer un quartier populaire prisé par les artistes cherchant un lieu de vie plus abordable que dans les secteurs à la mode. On découvre ainsi, aux côtés de la commerçante Avenida Ribera de San Cosme et du coloré **Mercado de San Cosme** (voir p. 55), des **galeries d'art contemporain** (voir p. 60), et dans les rues secondaires (Velázquez de León et García Icazbalceta, entre autres), de beaux édifices datant du XIXe s. qui rappellent la richesse passée du quartier.

Biblioteca Vasconcelos.

Remontez la Calle Santa María La Ribera en direction nord, puis prenez à droite la Calle Antonio Alzate.

Biblioteca Vasconcelos ★ [6]
entrée libre; tlj 8h30 à 19h30; Eje 1 Norte Mosqueta, angle Aldama, 9157-2800, www.bibliotecavasconcelos.gob.mx; métro Buenavista

Les amateurs d'architecture contemporaine apprécieront le design de cette étonnante bibliothèque inaugurée en 2006. Œuvre de l'architecte Alberto Kalach, elle présente un aménagement intérieur digne d'un film de science-fiction. Dans l'atrium, où trône un imposant squelette de baleine grise, les étages, composés de mezzanines de verre et d'acier, prennent des allures de ruche postmoderne. L'édifice est entouré d'un agréable jardin botanique comptant plus de 160 espèces d'arbres et de plantes.

Paseo de la Reforma, Juárez et San Rafael

Plaza de las Tres Culturas.

Rejoignez le Paseo de la Reforma, puis remontez vers le nord l'Eje Central Lázaro Cárdenas.

Plaza de las Tres Culturas ★★ [7]

entrée libre; tlj 8h à 18h; Eje Central Lázaro Cárdenas, angle Av. Flores Magón, 5283-0295, www.tlatelolco.inah.gob.mx; métro Tlatelolco

Tristement célèbre pour le massacre de Tlatelolco, qui eut lieu le 2 octobre 1968, cette grande esplanade doit son nom aux trois époques charnières de l'histoire du Mexique qui y sont représentées: des ruines préhispaniques (lieu où les troupes de Cortés tuèrent des milliers d'Aztèques en 1521), l'église coloniale de Santiago Tlatelolco (XVIe s.) et, tout autour, des immeubles datant des années 1960 figurant l'ère moderne. Des sentiers permettent de parcourir l'agréable site archéologique et d'apprécier la grandeur passée de

l'endroit, qui fut l'un des plus importants marchés aztèques.

Cafés et restos

(voir carte p. 51)

Ánimo Ay! Caldos $ [8]

tlj 12h à 22h; Río Elba 31, 9130-8306, www.animo.mx

Les *caldos*, de riches et savoureux bouillons, sont la spécialité de ce petit restaurant au décor de chaîne de restauration rapide. Choisissez le *birriamen* (bœuf épicé et nouilles *ramen* japonaises) ou le *caldo norteño de queso* (fromage et poulet), quelques *tacos* pour l'accompagner, et voilà un repas sain, satisfaisant et rapide.

Beatricita $ [9]

tlj 8h à 18h; Londres 190, 5511-4213

Une valeur sûre de la Zona Rosa pour se régaler de plats mexicains traditionnels, servis en toute simplicité dans une ambiance conviviale. Au petit déjeuner, optez pour une généreuse portion de *chilaquiles*. Le reste de la journée, les *tacos* valent aussi le détour.

La Casa de Toño $ [15]

tlj 24h/24; Londres 144, 5386-1125, http://m.lacasadetono.com.mx

Cette petite chaîne à l'atmosphère de cantine est très populaire auprès des *Capitalinos* (les habitants de la capitale), et les files d'attente ne sont pas rares devant ses nombreuses succursales (notez que la plupart ne sont pas ouvertes 24 heures sur 24). La raison: une honnête cuisine locale à prix d'ami. Le *pozole* est particulièrement recommandé.

La Especial de París $ [16]

tlj 12h à 20h30; Insurgentes Centro 117, 9131-5937, www.facebook.com/pg/LaEspecialdeParis

Un classique depuis 1921 pour combler toute envie irrésistible d'une bonne crème glacée. Décor qui permet de remonter dans le temps et parfums allant du classique à l'exotique, toujours préparés avec des ingrédients naturels.

Mercado de San Cosme $ [17]

tlj 6h à 18h; Gabino Barreda 18

Propre et agréable, le marché couvert du quartier San Rafael regorge de bons produits frais. On peut bien sûr s'y sustenter à l'un des nombreux kiosques alimentaires. Vous trouverez aussi de bons petits restaurants

aux alentours, comme **Cochinita Power** *($; lun-ven 12h à 22h, sam-dim 10h à 19h; www.facebook.com/cochinitapowermx)*, dont les deux succursales accolées au marché proposent de succulents *tacos* et *tortas* au porc effiloché.

Café La Habana $-$$ [12]

lun-sam 7h à 1h, dim 8h à 23h; Morelos 62, 5535-2620

Un grand café qui n'a guère changé depuis l'époque où Fidel Castro et Che Guevara le fréquentaient avant la Révolution cubaine. En plus de bons espressos et *cortados*, on y propose un menu simple et varié de spécialités mexicaines.

Bravo Lonchería $$ [11]

lun-mar 8h à 17h, mer-sam 8h à 23h, dim 9h à 18h; Río Sena 83, 5207-6797, www.facebook.com/lonchesbravo

Ce petit local à l'agréable déco rustique industrielle offre une agréable atmosphère le temps d'un repas simple mais très satisfaisant. Le menu propose principalement des *tortas*, déclinées en version petit déjeuner ou repas. Bons cocktails pour les accompagner.

◉ Cafe NIN $$ [13]

lun-sam 7h à 21h, dim 7h30 à 18h; Havre 73, 9155-4805, www.cafenin.com.mx

Un adorable café-restaurant où il fait bon s'attabler à toute heure de la journée. Bon café, pain frais, viennoiseries gourmandes, sandwichs gourmets et délicieux petits plats (soupes, salades, pâtes, assiettes de fromage) se savourent dans les

Paseo de la Reforma, Juárez et San Rafael

Abc gastronomique

Impossible de rester sur sa faim à México! *Puestos* (kiosques de rue), restaurants gourmets, *cantinas* (voir p. 43), marchés et *fondas* (petits restaurants économiques) abondent dans tous les quartiers, et à toute heure de la journée ou de la nuit. La gastronomie mexicaine, aussi riche que variée, se taille une part importante dans la culture du pays. Elle est même classée au patrimoine culturel immatériel de l'humanité de l'UNESCO. Chaque région a ses spécialités, et les Mexicains, à juste titre, sont très fiers de leur cuisine. Ils lui font d'ailleurs honneur à de multiples reprises au cours de la journée, mais principalement au moment de l'*almuerzo* (entre 13h et 15h).

Si de nombreuses spécialités mexicaines ont traversé les frontières nationales depuis longtemps, d'autres sont encore à découvrir et il serait dommage de passer à côté de certains délices au nom inconnu. Voici quelques plats populaires à déguster sans modération :

- *Birria* : ragoût épicé à base de viande de chèvre ou de mouton.
- *Chiles en nogada* : poivron vert farci de viande et de fruits secs, nappé d'une sauce crémeuse aux noix garnie de grains de grenade; ce plat servi à la température de la pièce évoque les couleurs du drapeau mexicain.
- *Elote* : épi de maïs bouilli puis nappé de fromage, mayonnaise et piment.
- *Huarache* : une version plus grande des *tlacoyos* (voir ci-dessous).
- *Pozole* : soupe-repas faite de maïs, viande et légumes.
- *Tacos al pastor* : tacos au porc et à l'ananas, typiques de la CDMX.
- *Tacos de guisado* : tacos garnis de différents plats mijotés.
- *Tlacoyos* : galettes de maïs de forme ovale fourrées de fromage, de *frijoles* (haricots noirs) ou de viande, puis garnies de fromage frais et de nopal (cactus).
- *Tlayuda* : *tortilla* croustillante garnie de *frijoles*, viande, légumes et fromage.
- *Tortas* : sandwichs variés, généralement servis dans les *torterías* (sandwicheries).

Chiles en nogada.

petites salles et la belle cour de cette chaleureuse maison.

Biwon $$-$$$ [10]
mar-dim 12h à 22h; Florencia 20, 5514-3994

La Zona Rosa est aussi connue comme étant le quartier coréen de México. On peut goûter ici à de nombreuses spécialités comme le *bibimbap* (bol de riz, viande, légumes et œuf), le *bulgogi* (viande marinée et grillée) et le barbecue coréen, chaque table en étant équipée. La salle à l'étage, avec ses tables basses, a bien plus de charme que la principale.

Rokai $$-$$$ [18]
lun-sam 13h à 23h, dim 12h à 18h; Río Ebreo 87, 5207-7543, www.edokobayashi.com

Rokai propose deux restaurants japonais accolés l'un à l'autre: spé-

cialité de sushis d'un côté, soupes *ramen* de l'autre. Le même décor contemporain épuré et une cuisine de qualité se retrouvent dans les deux locaux, qui partagent une petite terrasse sur rue. Réservations recommandées.

De Mar a Mar $$$ [14]
lun-sam 13h à 22h, dim 13h à 18h; Niza 13, 5207-5730, www.demaramar.mx

Quand le chef du célèbre **Máximo Bistrot Local** (voir p. 88) se tourne vers la mer, on se régale de *ceviches* aussi frais qu'inventifs, de plats de poisson et de fruits de mer à la sauce mexicaine revisitée, sans oublier des desserts à la présentation soignée. L'invitant et lumineux décor ne gâche rien. Réservations recommandées.

Bars et boîtes de nuit

(voir carte p. 51)

Cicatriz Café [19]
mer-lun 9h à 23h; Dinamarca 44, 4041-7931,
www.cicatrizcafe.com

Les habitués s'y précipitent pour le café du matin, mais c'est le soir que ce petit resto-bar est le plus populaire, alors que cocktails créatifs et vins naturels attirent une clientèle chic et décontractée dans une ambiance qui se situe entre New York et México. Intéressant menu qui plaira aux gourmets.

Jardín Chapultepec [20]
mar-ven 13h à 23h30, sam 11h à 0h, dim 11h à 20h; Av. Chapultepec 398, 7097-1302,
www.facebook.com/jardinchapultepecmx

Véritable oasis au cœur de la ville, ce bar en plein air propose une bonne variété de bières artisanales mexicaines, que l'on peut accompagner de petits plats (*tacos*, hamburgers). On déguste le tout sur de grandes tables communes dans une ambiance conviviale. Brunch le week-end.

King Cole Bar [21]
lun-sam 12h à 1h, dim 12h à 2h; Hotel St. Regis, Paseo de la Reforma 439, 5228-1818, www.stregismexicocity.com

On y vient autant pour se prélasser dans le luxueux décor de l'hôtel St. Regis que pour profiter de la terrasse avec vue plongeante sur le Paseo de la Reforma tout en dégustant d'excellents cocktails.

Le Tachinomi Desu [23]
lun-sam 17h à 1h30; Río Pánuco 132, 5207-0386, www.edokobayashi.com

Un bar japonais où l'on déguste saké, bière et whisky japonais en avalant d'excellentes bouchées tout aussi nippones. L'endroit, minuscule, ne compte aucun siège et devient vite bondé après 20h. Réservations conseillées.

Parker & Lenox [24]
100$M, mar entrée libre; mer-sam 20h à 2h; Milán 14, 7893-3140,
www.facebook.com/parkerandlenox

Passez l'entrée où se trouve un *diner* à la déco *vintage* (bons hamburgers), puis poussez le rideau qui cache, façon *speakeasy*, la salle feutrée où se produisent tous les soirs des groupes de jazz. L'ambiance s'échauffe à partir de 21h et le premier concert débute à 22h30. Réservations conseillées.

Xaman Bar [25]
mar-sam 18h à 2h; Copenhague 6, 6211-4056, https://xaman.bar

Caché en sous-sol, sombre et quelque peu mystérieux, ce bar à la mode concocte des cocktails «chamaniques» originaux inspirés de l'époque préhispanique. Musique envoûtante et clientèle élégante. Réservations conseillées du jeudi au samedi.

Bars et boîtes de nuit gays

La Zona Rosa est le principal quartier gay de la capitale, particulièrement autour de la Calle Amberes, où se concentrent de nombreux établissements nocturnes.

Zona Rosa.

Kinky Bar [22]
70$M; jeu-sam dès 21h30; Amberes 1,
5514-4920, www.kinkybar.com.mx

Sur trois niveaux, ce «restaurant-
bar-boîte de nuit» accueille les gays
comme les autres, mais les jeudis sont exclusivement réservés
aux femmes. Spectacles érotiques,
cabaret et karaoké assurent une
ambiance électrique. Grande terrasse
donnant sur le Paseo de la Reforma
et son Ange, situé à deux pas.

Culture et divertissement
(voir carte p. 51)

Instituto Francés de América Latina [26]
Río Nazas 43, 2881-3149, https://ifal.mx
Le cinéma de l'Institut français pro-
pose trois séances par jour, avec une

majorité de films et documentaires
francophones.

Lèche-vitrine
(voir carte p. 51)

Alimentation

Mucho – Mundo Chocolate [31]
tlj 9h à 18h; Milán 45, 5514-1737,
www.mucho.org.mx

Bienvenue dans le fabuleux monde
du chocolat! Cette belle demeure
centenaire abrite un intéressant
musée *(70$M, enfants 45$M; tlj
11h à 17h)* où l'on découvre l'histoire
du cacao au Mexique tout en étant
enveloppé d'alléchantes odeurs. Tout
aussi passionnant, le café-boutique
vend les produits maison, notamment des *tamales* au chocolat.

Casa Fusión.

Artisanat

Mercado de Artesanías Insurgentes [30]
lun-sam 9h à 19h, dim 9h à 16h; Londres 152 (autre entrée: Liverpool 167)

Aussi connu sous l'appellation de *Mercado de la plata*, car de nombreux étals y proposent des bijoux en argent (provenant notamment de la ville de Taxco), ce grand marché couvert dispose en plus d'une bonne variété d'artisanat mexicain et de souvenirs touristiques, ainsi que, bien sûr, de kiosques de restauration *(lun-ven).*

Centres commerciaux

Reforma 222
tlj 6h à 0h; Paseo de la Reforma 222, www.codigoreforma222.com.mx

Ce vaste centre commercial moderne renferme des dizaines de boutiques de tout acabit, des banques, des restaurants et un cinéma. L'endroit, connu de tous les *Capitalinos*, est un point de référence souvent utilisé.

Galeries d'art

La Buena Estrella [29]
Ignacio Manuel Altamirano 88, 6267-1606, http://labuenaestrella.org

Bien à l'image de la scène artistique du quartier San Rafael, cette galerie d'art contemporain présente des expositions variées d'artistes émergents.

Vêtements et accessoires

✪ Casa Fusión [27]
mar-sam 12h à 20h, dim 11h à 19h; Londres 37, 5511-6328, http://casafusion.com.mx

Cette grande et noble demeure accueille, sur deux niveaux et dans sa cour, une foule de designers de mode et d'artisans exclusivement mexicains. On y trouve entre autres les colorées chaussures faites à la main de **Manuel Sekkel** *(www.facebook.com/ZapatosManuelSekkel)* et les beaux t-shirts de **Karani Art** *(http://karaniart.com.mx).* Un café, un théâtre et différents petits marchés animent aussi les lieux.

Guayaberas Yucatecas Mayabki [28]
lun-ven 11h à 20h, sam 11h à 18h; Liverpool 9, 5546-3476, www.mayabki.com.mx

Décontractée ou habillée, en lin ou en coton, pour homme et enfant, avec ou sans manches: on déniche ici la chemise *guayabera* idéale, à prix raisonnable.

3 ↘

Bosque de Chapultepec

À voir, à faire

(voir carte p. 63)

Véritable poumon vert de la capitale, le vaste **Bosque de Chapultepec** ★ ★ ★ est une destination en soi à México. Une journée entière est à peine suffisante pour explorer à fond ce parc verdoyant, qui recèle des vestiges archéologiques et historiques, des plans d'eau à découvrir en pédalo et plusieurs musées de premier ordre.

Le site, agréable et rafraîchissant, attire les sportifs de bon matin, puis de nombreuses familles qui viennent se détendre dans ses jardins, admirer les fontaines et les monuments, pique-niquer à l'ombre des arbres et profiter des kiosques ambulants de cuisine de rue et de souvenirs. La parc compte trois sections distinctes; nous présentons ci-dessous les deux premières, qui sont les plus intéressantes.

Le circuit commence au nord du parc (métro Auditorio ou Chapultepec).

Museo Nacional de Antropología ★ ★ ★ [1]

70$M; mar-dim 9h à 19h; Paseo de la Reforma, angle Calzada Gandhi, 4040-5370, www.mna.inah.gob.mx; métro Auditorio ou Chapultepec

L'un des musées incontournables de México, et souvent considéré comme l'un des plus intéressants au monde. Ses collections couvrent les domaines de l'anthropologie, de l'archéologie (artéfacts de la préhistoire et de nombreuses civilisations mésoaméricaines, jusqu'à la colonisation espagnole) et de l'ethnologie (œuvres artisanales de plusieurs peuples autochtones). Parmi

Bosque de Chapultepec

El paraguas, Museo Nacional de Antropología.

À voir, à faire ★

1.	DX	Museo Nacional de Antropología
2.	DX	Museo Tamayo
3.	CY	Carrousel
4.	DX	Jardin botanique
5.	CY	Mât totémique canadien
6.	DY	Lago Mayor
7.	DY	Museo de Arte Moderno
8.	DY	Museo del Caracol
9.	DY	Castillo de Chapultepec/Museo Nacional de Historia
10.	CX	Zoológico de Chapultepec
11.	CZ	Casa Estudio Luis Barragán
12.	CY	Fuente Tláloc
13.	BY	Lago Mayor
14.	CY	La Feria
15.	CZ	Papalote Museo del Niño

Cafés et restos ●

16.	BY	Restaurante El Lago
17.	DX	Restaurante Tamayo

Culture et divertissement ◆

18.	DY	Casa del Lago

Lèche-vitrine ■

19.	DX	Librería Porrúa
20.	DX	Tienda Tamayo

Bosque de Chapultepec

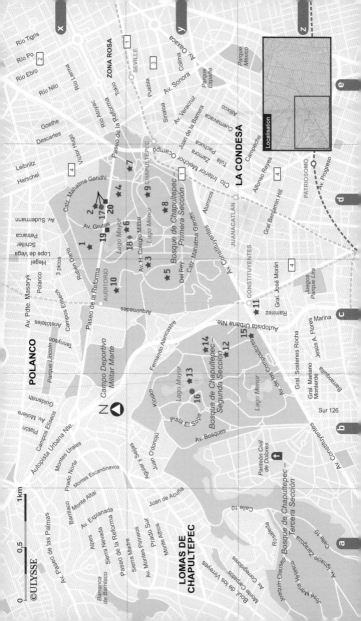

Bosque de Chapultepec.

les nombreuses pièces à ne pas manquer, notons la colossale *Piedra del Sol* (salle Mexica), les vestiges archéologiques provenant de Teotihuacán ou l'artisanat des Mayas.

La muséographie moderne et la grandeur des salles assurent une exploration des lieux dans un confort optimal. Les richesses du musée sont conservées dans un écrin contemporain entourant une vaste esplanade où se dresse une structure monumentale en forme de parapluie stylisé, *El paraguas*, d'où coule un grand voile d'eau tout autour. Prévoyez plusieurs heures, ou mieux, plusieurs visites, pour profiter de ce formidable musée.

Museo Tamayo ★ [2]
65$M, dim entrée libre; mar-dim 10h à 18h; Paseo de la Reforma 51, 4122-8200, www.museotamayo.org; métro Chapultepec

Entièrement dédié à l'art contemporain, ce musée aux lignes modernes présente à longueur d'année des expositions temporaires d'artistes internationaux et une partie de sa collection permanente. Jolie boutique (voir p. 68) et bon restaurant (voir p. 68) sur place.

Traversez le Paseo de la Reforma pour entrer dans l'enceinte de la première section du parc par la Puerta Museo de Arte Moderno.

Bosque de Chapultepec, Primera Sección

La **Primera Sección** ★★ *(entrée libre; mar-dim 5h à 19h, 20h l'été, lun uniquement transit à vélo; entrées par Paseo de la Reforma, Constituyentes et Chivatito, 5271-1939,*

http://bosque.buro-desarrollo.org et https://chapultepec.org.mx; métro Chapultepec ou Auditorio) renferme la plupart des attraits majeurs du parc. En plus des visites culturelles, elle compte plusieurs aires de jeux pour les enfants, un antique **carrousel** [3] *(15$M)*, un **jardin botanique** [4] et de nombreuses sculptures artistiques, sans oublier un magnifique **mât totémique canadien** [5], et offre la possibilité de naviguer sur le **Lago Mayor** [6] en barque ou en pédalo *(60$M à 120$M/h)*.

Museo de Arte Moderno ★ [7]
65$M, dim entrée libre; mar-dim 10h15 à 17h30; par Puerta Museo de Arte Moderno, 8647-5530, www.museoartemoderno.com; métro Chapultepec

Ce musée abrite les œuvres de grands peintres mexicains des XXe et XXIe s., entre autres la célèbre toile *Las dos Fridas* (1939), de Frida Kahlo, et présente des expositions temporaires d'art contemporain. Visites guidées gratuites du mardi au vendredi à midi et 13h.

Museo del Caracol ★ [8]
70$M; mar-dim 9h à 16h; par Puerta de los Leones ou Puerta Pasillo Metro, 4040-5241, www.caracol.inah.gob.mx; métro Chapultepec

Le long du chemin grimpant vers le château (voir ci-dessous), vous verrez la structure étrange de ce musée qui ne manque pas d'impressionner. À l'intérieur, un vertigineux escalier en escargot *(caracol)* permet de faire le tour de l'exposition, qui s'adresse particulièrement aux jeunes visiteurs et qui retrace l'histoire du Mexique, de l'indépendance à la Révolution, par le biais de dioramas et de maquettes.

Bosque de Chapultepec

Castillo de Chapultepec.

Castillo de Chapultepec ★ ★ ★ [9]

70$M; mar-dim 9h à 17h; par Puerta de los Leones ou Puerta Pasillo Metro, 4040-5214, www.castillodechapultepec.inah.gob.mx; métro Chapultepec

Élégamment perché sur une colline, ce château aux styles architecturaux éclectiques (néo-roman, néoclassique et néo-baroque) fut érigé au XVIIIe s. Ancien palais d'été du vice-roi, il a logé un collège militaire et fut la résidence de l'empereur Maximilien Ier et des présidents mexicains jusqu'en 1939. Le château fut aussi, en 1847, le lieu d'une bataille décisive lors de la guerre américano-mexicaine. Depuis 1944, il accueille le **Museo Nacional de Historia**, qui présente des peintures murales et des expositions d'artéfacts, de la colonisation espagnole à la Révolution. La visite permet de voir les appartements reconstitués des illustres résidents de l'endroit ainsi qu'un magnifique jardin. Depuis les terrasses, la vue panoramique sur la ville vaut à elle seule le déplacement.

Zoológico de Chapultepec [10]

entrée libre; mar-dim 9h à 16h30; Puerta Acuario, 5553-6263, http://data.sedema. cdmx.gob.mx/zoo_chapultepec; métro Auditorio

Cet agréable zoo, l'un des plus importants du pays, héberge plus de 2 000 animaux répartis dans divers environnements recréés (désert, forêt tropicale…), spacieux et bien aménagés. En plus des pandas géants, *stars* incontestées du zoo, on peut y observer de nombreuses espèces endémiques du Mexique.

Pour accéder à la deuxième section du Bosque de Chapultepec, séparée de la première par la résidence présidentielle de Los Pinos et l'autoroute Urbana Norte, vous pouvez marcher en longeant l'Avenida Constituyentes depuis la Puerta Quebradora (env. 1 km) ou emprunter le métro (de Chapultepec à Constituyentes), ou encore prendre un taxi pour vous éviter cette promenade peu agréable.

Casa Estudio
Luis Barragán ★★ [11]

400$M; lun-ven visites guidées à 10h30, 11h30, 12h30, 15h30 et 16h, sam-dim à 10h30 et 11h; réservations requises; General Francisco Ramírez 12-14, 5515-4908, www. casaluisbarragan.org; métro Constituyentes

Les amateurs d'architecture prendront soin de réserver bien à l'avance la visite de la maison-atelier de Luis Barragán (1902-1988), l'un des plus célèbres architectes mexicains. Dessiné par ses soins et classé au patrimoine mondial de l'UNESCO, l'ensemble architectonique est situé à deux pas de l'entrée de la deuxième section du parc.

Bosque de Chapultepec, Segunda Sección

Bien moins boisée et charmante que la première section du Bosque de Chapultepec, la **Segunda Sección ★** *(entrée libre; entrées par Av. Constituyentes et Autopista Urbana Norte, 5271-1939, http://bosque. buro-desarrollo.org et https:// chapultepec.org.mx; métro Constituyentes)* comprend néanmoins plusieurs attraits dignes de men-

tion, dont la **Fuente Tláloc** [12], une impressionnante fontaine en céramique, œuvre de Diego Rivera. Les familles préféreront le **Lago Mayor** [13], un vaste plan d'eau où l'on peut louer des embarcations, et **La Feria** [14] *(à partir de 125$M; horaire variable; www.laferia.com. mx)*, un parc d'attractions pour les amateurs de sensations fortes.

Papalote Museo del Niño ★ [15]

à partir de 199$M; lun-ven 9h à 18h, sam-dim 10h à 19h; Av Constituyentes 268, 5237-1700, www.papalote.org.mx; métro Constituyentes

S'allonger sur un lit de clous, fabriquer une catapulte, jouer au chirurgien dans une salle d'opération, ou encore apprendre à faire des achats santé dans un supermarché, font partie de la multitude d'activités aussi ludiques qu'éducatives proposées par ce coloré musée des enfants, qui plaira aussi aux parents et aux non-hispanophones. Un cinéma IMAX et un planétarium (frais supplémentaires) se trouvent également sur place.

Cafés et restos

(voir carte p. 63)

Dans les deux premières sections du Bosque de Chapultepec, de nombreux **kiosques alimentaires** ($) embaument les allées des saveurs de la cuisine de rue mexicaine, notamment près du jardin botanique et du Museo de Arte Moderno.

Bosque de Chapultepec

Bosque de Chapultepec

Restaurante Tamayo.

Restaurante Tamayo $$ [17]
*mar-ven 8h à 18h, sam-dim 9h à 18h; Museo Tamayo, Paseo de la Reforma 51, 5211-2197,
www.museotamayo.org*

Intérieur au chaleureux design contemporain, terrasse encore plus invitante et savoureuse cuisine qui revisite les classiques mexicains en leur donnant une belle touche de modernité, voilà autant de raisons de faire une pause de choix dans le parc, même si on ne visite pas le musée.

Restaurante El Lago $$-$$$$
[16]
lun-sam 7h30 à 23h30, dim 10h à 17h30; Lago Mayor, Segunda Sección, 5515-9585, www.lago.com.mx

Un restaurant chic et élégant offrant une vue directe sur le Lago Mayor et servant une fine cuisine mexicaine contemporaine. Les petits déjeuners et les brunchs dominicaux sont particulièrement courus. Réservations recommandées.

Culture et divertissement
(voir carte p. 63)

Casa del Lago [18]
mer-dim 11h à 17h30; Primera Sección, par Puerta Acuario, 5211-6086, www.casadellago.unam.mx

Ce centre culturel géré par une prestigieuse université (UNAM) propose des expositions temporaires et surtout un calendrier d'activités culturelles variées (poésie, théâtre, danse, concerts) dans un splendide environnement.

Lèche-vitrine
(voir carte p. 63)

Artisanat
Tienda Tamayo [20]
mar-dim 10h à 18h; Museo Tamayo, Paseo de la Reforma 51, 4122-8200, www.museotamayo.org

Objets au design contemporain, bijoux originaux, vêtements griffés aux couleurs du logo de la CDMX et autres belles idées de cadeaux remplissent les rayons de cette boutique, accessible même sans visiter le musée.

Librairies
Librería Porrúa [19]
mar-dim 9h à 18h; Av. Grutas, angle Paseo de la Reforma, 5212-2242, www.porrua.mx

On y vient pour dénicher des livres (bon rayon en anglais, quelques options en français), pour prendre un café à la terrasse donnant sur le Lago Mayor dans la première section du Bosque de Chapultepec, mais aussi pour admirer son architecture intégrant des arbres du parc. Nombreuses autres succursales en ville.

4

Polanco

À voir, à faire

(voir carte p. 71)

Quartier chic par excellence, **Polanco** ★ est le lieu de résidence des bien nantis de México. Ici, le long de belles rues dont les noms honorent de grands écrivains et philosophes, les restaurants gastronomiques avoisinent les boutiques de grand luxe, de nobles demeures bourgeoises abritent des ambassades et les espaces verts ne manquent pas. Plus au nord, Polanco se modernise et sur l'horizon se découpent de grandes tours de bureaux et des musées aux lignes futuristes.

Situé juste au nord du Bosque de Chapultepec, Polanco est un lieu de séjour très confortable, tranquille et sécuritaire. On s'y promène volontiers à pied ou à vélo, entouré d'une foule distinguée.

Le circuit débute au nord du Museo Nacional de Antropología (voir p. 61).

Sala de Arte Público Siqueiros ★ [1]

30$M, dim entrée libre; mar-dim 10h à 18h; Tres Picos 29, 8647-5340, http://saps-latallera.org; métro Polanco ou Auditorio

L'ancienne maison-atelier du muraliste David Alfaro Siqueiros (voir p. 33) accueille désormais un musée d'art contemporain. Outre les expositions temporaires, on y admire le travail du peintre, entre autres de magnifiques murales colorant les murs des pièces.

Suivez les Campos Elíseos (les Champs-Élysées) vers l'ouest, puis remontez la Calle Aristóteles.

Polanco

Polanco

À voir, à faire ★

1.	DZ	Sala de Arte Público Siqueiros
2.	AZ	Parque Lincoln/Torre del Reloj/
		Aviario Abraham Lincoln/Teatro
		Angela Peralta/Marché

3.	CY	Parroquia San Agustín
4.	BX	Museo Jumex
5.	AX	Museo Soumaya

Activités ☀

6.	AZ	AgoraLucis
7.	CZ	Away Spa

8.	DY	Habita Hotel

Cafés et restos ●

9.	AZ	Asai Kaiseki Cuisine
10.	CZ	Au Pied de Cochon
11.	BZ	Cafebrería El Pendulo
12.	AZ	Dulce Patria
13.	AZ	Dulcinea Cocina Urbana
14.	DY	Eno

15.	BY	Guzina Oaxaca
16.	EY	Mi Gusto Es
17.	DY	Ojo de Agua
18.	CY	Pujol
19.	CY	Quintonil

Bars et boîtes de nuit ☽

20.	EY	Fiebre de Malta
21.	DY	Habita Hotel

22.	BZ	Jules Basement
23.	AZ	Limantour

Lèche-vitrine ■

24.	BX	Antara Polanco
25.	AZ	Arroz con Leche
26.	BZ	Catamundi

27.	BY	Palacio de Hierro
28.	AZ	Pasaje Polanco
29.	CZ	Pineda Covalin

Logement ▲

30.	EZ	Camino Real Polanco
31.	BY	Pug Seal Allan Poe

32.	BZ	Pug Seal Tennyson
33.	CY	Residence L'Heritage

Parque Lincoln ★★ [2]
entre Luis Urbina et Av. Emilio Castelar;
métro Polanco ou Auditorio

Cet invitant parc public repré-sente le cœur du quartier Polanco. Familles et promeneurs de chiens s'y retrouvent tout au long de la jour-née, autour des bassins et à l'ombre des arbres matures. Il comporte de nombreuses sculptures et plusieurs

attraits dignes de mention : la **Torre del Reloj** (tlj 10h à 18h; côté ouest), symbole de Polanco, qui abrite des expositions temporaires d'artistes locaux; l'**Aviario Abraham Lincoln** (7$M; mar-dim 10h à 16h; au centre), une volière hébergeant près de 400 oiseaux, principalement du Mexique; un terrain de jeux pour les enfants et le **Teatro Angela Peralta** (mer-

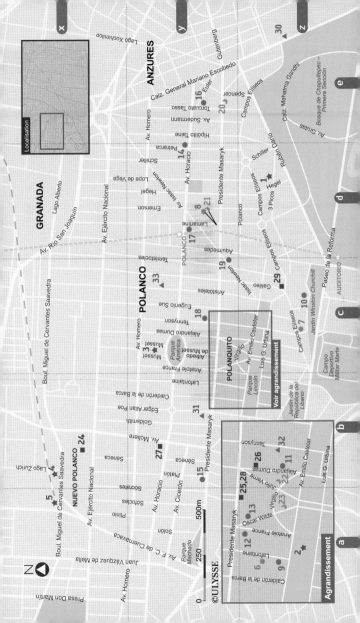

Polanco

Museo Soumaya.

dim; côté est), qui présente divers spectacles en plein air. Le samedi, un **marché** *(8h à 17h)* s'installe autour du théâtre, avec de nombreux *puestos de calle* gourmands. Sur l'Avenida Emilio Castelar, qui borde le nord du parc, sont alignés cafés, restaurants et boutiques chics.

Polanquito ★

La zone comprise entre le Parque Lincoln et l'Avenida Presidente Masaryk représente le centre de Polanco. Ici se concentrent bars à la mode et restaurants gastronomiques qui transforment ce secteur en un haut lieu de rendez-vous nocturne pour les *Capitalinos* au portefeuille bien garni. L'Avenida Presidente Masaryk est bordée de boutiques de luxe et de grandes enseignes internationales.

Remontez la Calle Alfredo de Musset.

Parroquia San Agustín ★ [3]

tlj 7h à 13h30 et 16h à 20h; Av. Horacio 921, 5250-5373, www.sanagustinpolanco.org; métro Polanco

Trônant devant le Parque América, cette monumentale église mérite le coup d'œil pour sa façade constituée d'une immense niche de pierre. Son intérieur est très sobre.

Suivez l'Avenida Horacio vers l'ouest, puis l'Avenida Moliere en direction nord.

Nuevo Polanco

entre Av. Ejército Nacional (sud) et Av. Río San Joaquín (nord); métro Polanco

Au nord de l'Avenida Ejército Nacional, le tissu urbain change drastiquement. Passé l'enclave commerçante et populaire de l'Avenida Moliere, gratte-ciel ultramodernes et centres commerciaux à la mode forment le paysage de ce quartier habité par une population plus jeune que le cœur bourgeois de Polanco. Le secteur connaît depuis les années 2010 un fort développement immobilier, propulsé notamment par le milliardaire mexicain Carlos Slim.

Museo Jumex ★ [4]
50$M; dim entrée libre; mar-dim 11h à 19h; Plaza Carso, Boul. Miguel de Cervantes Saavedra 303, 5395-2618, www.fundacionjumex.org; métro Polanco

Ce musée à l'architecture moderne et austère abrite de vastes et lumineuses salles où se déroulent d'intéressantes expositions temporaires d'art contemporain.

Museo Soumaya ★★ [5]
entrée libre; tlj 10h30 à 18h30; Plaza Carso, Boul. Miguel de Cervantes Saavedra 303, 1103-9800, www.soumaya.com.mx; métro Polanco

Juste en face du précédent, le Museo Soumaya ne passe pas inaperçu avec son architecture futuriste aux courbes inspirées des œuvres de Rodin et recouvertes de milliers de carreaux d'aluminium. L'intérieur est aussi spectaculaire que l'extérieur: les six étages d'exposition sont desservis par une rampe en spirale. Entièrement financé par la fondation du milliardaire Carlos Slim, il possède une riche collection, principalement d'œuvres européennes du XVe au XXe s., dont

d'impressionnantes sculptures de Rodin. Par contre, la muséographie et la foule ne permettent pas toujours d'apprécier ces chefs-d'œuvre à leur juste valeur.

Activités *(voir carte p. 71)*

Baignade

Habita Hotel [8]
400$M; tlj 9h à 17h; Av. Presidente Masaryk 201, 5282-3100, www.hotelhabita.com; métro Polanco

Les piscines publiques sont rares dans le centre de México. Le beau bassin en plein air perché sur le toit de cet hôtel permet de faire quelques longueurs et il est possible de se relaxer sur place dans le bain à remous. Le droit d'accès, valable pour la journée, est déduit de vos consommations (bar et restauration).

Détente et yoga

AgoraLucis [6]
Lafontaine 78, 5281-7550, www.agoralucis.com; métro Polanco ou Auditorio

Un jardin zen au cœur de Polanco, où sont proposées tous les jours différentes classes de yoga (Kundalini, Vinyasa, Hatha Yoga...) auxquelles on peut participer sans avoir à réserver *(250$M; se présenter 10 min avant le début)*. Le centre de yoga abrite aussi des salles de massage et de soins corporels, ainsi qu'une petite succursale du restaurant Ojo de Agua (voir plus loin).

Polanco

Polanco

Cafebrería El Pendulo.

Away Spa [7]
Hotel W, Campos Elíseos 252, 9138-1881,
www.wmexicocity.com; métro Auditorio

Le spa de l'hôtel W, l'un des plus
agréables et des plus complets de
la capitale, est ouvert à tous. En
plus des massages, soins corporels,
sauna et bain à remous, le centre
propose un *temazcal*, hutte de suda-
tion traditionnelle (rituel avec cha-
man possible, à partir de 600$M).
Accès à la salle d'entraînement et
jolie vue panoramique en prime.
Réservations requises.

Cafés et restos
(voir carte p. 71)

Mi Gusto Es $-$$ [16]
dim-jeu 12h à 19h, ven-sam 12h à 20h;
Torcuato Tasso 324, 5254-5678,
www.migustoes.com.mx

Les options économiques ne sont
pas légion à Polanco, alors si les
couleurs acidulées de cette petite
chaîne nationale ne vous aveuglent
pas, vous profiterez ici de bons produits de la mer servis en *tacos*, *caldos* et salades.

Cafebrería El Pendulo $$
[11]
*lun-mer 8h à 23h, jeu-ven 8h à 0h, dim 9h à
22h;* Alejandro Dumas 81, 5280-4111,
https://pendulo.com

Les amoureux des livres ne manqueront pas d'aller prendre un café, un
whisky (au bar Bukowski), un petit
déjeuner ou un repas (hamburger
Marx, fettuccinis végétariens Beat-
nik) dans cette fantastique librairie.
On n'y trouve malheureusement pas
de titres en français, mais l'atmosphère et le décor compensent. Plusieurs autres adresses en ville.

México dans les arts

Pour se plonger dans l'atmosphère de la mégapole avant d'y aller, ou pour prolonger son séjour, voici une sélection de films (la plupart en version française) et de livres (tous traduits en français) mettant en vedette la Ciudad de México.

Films

Amour chiennes (Alejandro González Iñárritu, 2000)

007 Spectre (Sam Mendes, 2015)

Frida (Julie Taymor, 2002)

Días de Gracia (Everardo Gout, 2012)

Güeros (Alonso Ruizpalacios, 2014, en espagnol)

Livres

La plus limpide région (Carlos Fuentes, 1982)

Des nouvelles de l'Empire (Fernando del Paso, 1990)

Les détectives sauvages (Robert Bolaño, 2010)

Queer (William Burroughs, 2010)

Tristessa (Jack Kerouac, 1982)

Vie de Jésusa (Elena Poniatowska, 1980)

Les Temps perdus (Juan Pablo Villalobos, 2016)

Polanco

Eno $$ [14]
lun-ven 7h à 22h30, sam 9h à 23h, dim 9h à 17h; Petrarca 258, angle Av. Horacio, 5531-8535, www.eno.com.mx
Le petit frère du Pujol (voir plus loin) utilise les mêmes produits de qualité pour préparer ses sandwichs, ses petits plats gourmets et ses savoureux petits déjeuners. Les grandes tables communes façon cantine urbaine et le service sympathique rendent l'endroit très convivial. Autre adresse à Roma Norte.

Pujol.

Ojo de Agua $$ [17]
lun-ven 8h à 22h, sam-dim 8h à 21h;
Av. Horacio 522, angle Lamartine, 5545-2719,
www.ojodeagua.com.mx

À la fois petit marché de fruits et légumes frais et rendez-vous de quartier, cette chaîne de restaurants bien implantée dans la capitale (notamment à La Condesa et Roma) propose une cuisine saine et légère comportant de nombreuses options végétariennes. Sandwichs, salades, bol d'açaï et une grande variété de jus gourmands ou toniques sont au menu. Cette succursale compte quelques tables à l'intérieur et une belle terrasse.

Dulcinea Cocina Urbana $$-$$$ [13]
mar-jeu 13h à 23h, ven-sam 9h30 à 23h, dim-lun 10h à 17h; Oscar Wilde 29, 5280-4372,
www.facebook.com/DulcineaCocina

Une belle adresse pour une agréable halte urbaine et un repas satisfaisant. Salades originales, plats de poisson gourmets, *tacos* et hamburgers créatifs sont apprêtés avec une majorité de produits bios et locaux. Décor champêtre et petite terrasse sur rue. Plusieurs succursales en ville.

Au Pied de Cochon $$$ [10]
tlj 24h/24; Hotel Presidente Intercontinental,
Campos Elíseos 218, 5327-7756,
www.aupieddecochon.rest

Pieds de cochon, soupe à l'oignon, fruits de mer et classiques de la gastronomie française sont proposés dans ce chic restaurant aux allures d'une grande brasserie parisienne. À toute heure du jour et de la nuit, on profite aussi d'une carte des vins qui serait la mieux fournie d'Amérique latine. Terrasse agréable et bon service.

⬤ Asai Kaiseki Cuisine $$$-$$$$ [9]
lun-ven 11h30 à 23h, sam 13h à 23h; Emilio Castelar 149, 5087-2432, http://asaikaiseki.com

Caché en haut d'une volée d'escaliers, ce minuscule restaurant japonais d'à peine 15 places vaut le détour. Installez-vous au comptoir pour admirer le chef préparer les minutieux petits plats qui composent les menus dégustation. Celui du midi est plus abordable; comptez 2h d'extase pour savourer le menu le plus complet.

Dulce Patria $$$-$$$$ [12]
tlj 13h30 à 23h30; Anatole France 100,
3300-3999, www.marthaortiz.mx

La réputée chef Martha Ortiz fait de chaque assiette un véritable

Quintonil.

chef-d'œuvre culinaire honorant la patrie mexicaine. Par les saveurs, mais aussi par des présentations originales, voire époustouflantes. Les plats sont servis en petites portions à partager qui permettent de découvrir plusieurs créations de la chef. Décor contemporain rose bonbon.

🌟 Guzina Oaxaca $$$-$$$$ [15]

lun-sam 8h à 23h, dim 8h à 18h;
Av. Presidente Masaryk 513, 5282-1820,
www.guzinaoaxaca.com

Le chef Alexandro Ruiz est l'un des meilleurs ambassadeurs de la cuisine d'Oaxaca dans la capitale. *Mole negro*, *tlayuda* (voir p. 56), fruits de mer et bien d'autres mets sont ici à leur meilleur. Bons cocktails et vins mexicains pour les accompagner. L'excellent service et le cadre raffiné ne gâchent rien.

Quintonil $$$$ [19]

lun-sam 13h à 16h et 18h30 à 22h; Av. Isaac Newton 55, 5280-2680, www.quintonil.com

Presque aussi bien coté que le Pujol (voir ci-dessous) mais plus abordable et nettement plus facile à réserver, Quintonil propose une fine cuisine mexicaine contemporaine. La salle élégante et intime se double d'une terrasse. Service sans faute.

Pujol $$$$ [18]

lun-sam 13h30 à 16h et 18h30 à 23h; Tennyson 133, 5545-4111, www.pujol.com.mx

Considéré comme le meilleur restaurant de México et souvent classé parmi les 100 meilleurs au monde, le fameux établissement du chef Enrique Olvera doit être réservé des semaines, voire des mois à l'avance. Les chanceux convives dégusteront dans un espace contemporain

Palacio de Hierro.

Polanco

une cuisine préhispanique revisitée façon haute gastronomie. Notez qu'il est plus aisé d'obtenir une table le midi, et que l'on peut savourer vins et fromages dans le jardin sans réservation.

Bars et boîtes de nuit

(voir carte p. 71)

Fiebre de Malta [20]
lun-jeu 12h à 0h, ven-sam 12h à 2h, dim 12h à 22h; Av. Presidente Masaryk 48, 5531-6826, www.fiebredemalta.com

Une cinquantaine de bières de microbrasseries sont servies ici, la plupart à la pression et mexicaines. Le décor moderne et un peu froid, agrémenté d'une puissante musique électronique, ne conviendra pas à tout le monde. Menu de type pub pour se rassasier *($$)*.

Habita Hotel [21]
lun-mer 19h à 23h, jeu-sam 19h à 2h; Av. Presidente Masaryk 201, 5282-3100, www.hotelhabita.com

La terrasse perchée sur le toit de cet hôtel contemporain attire une clientèle de jeunes professionnels en quête d'un paisible *lounge*. Les cocktails se savourent ici en plein air près de la piscine, avec vue panoramique sur la capitale et projection de vieux films sur l'immeuble voisin.

Jules Basement [22]
mar-sam 20h à 1h; Julio Verne 93, 5280-1278, www.julesbasement.com

Il faut entrer à l'intérieur du restaurant Surtidora Don Batiz et passer par la porte d'une chambre froide pour accéder à ce *speakeasy* planqué en sous-sol. Décor moderne et ambiance *lounge*, concerts de jazz et DJ aux platines. Réservations conseillées.

Limantour [23]
lun 17h à 23h, mar-ven 17h à 2h, sam 14h à 1h, dim 14h à 23h; Oscar Wilde 9, 5280-1299, http://limantour.tv

Des cocktails inventifs mettant en vedette les produits mexicains sont concoctés ici de main de maître. Intérieur chic et chaleureux qui attire une clientèle du même style. L'endroit est à la mode, alors pensez à réserver. Seconde adresse à Roma.

Lèche-vitrine

(voir carte p. 71)

Alimentation

Catamundi [26]
lun 8h à 20h, mar-mer 8h à 1h, jeu-sam 8h à 23h, dim 9h à 20h; Alejandro Dumas 97, 5280-6681, www.catamundi.com

À la fois épicerie fine, cave à vin (bonne sélection de vins mexicains) et comptoir de restauration gourmet, cet établissement est une adresse à retenir pour faire ses emplettes dans le quartier.

Centres commerciaux

Antara Polanco [24]
tlj 11h à 23h; Av. Ejército Nacional 843, angle Av. Moliere, 4593-8870, www.antara.com.mx

Moderne et aéré, cet ensemble de boutiques internationales (moyen de gamme) est spécialisé dans la mode.

Palacio de Hierro [27]
tlj 9h à 21h; Av. Moliere 222, angle Av. Horacio, 5283-7200, www.elpalaciodehierro.com

Cette impressionnante pyramide de la consommation propose de grandes marques de luxe dans le domaine de la mode et de la gastronomie.

Pasaje Polanco [28]
tlj 9h à 22h; Av. Presidente Masaryk 360, 5280-7976

Dans un cadre agréable de style colonial californien, le passage reliant les rues Oscar Wilde et Julio Verne est bordé de boutiques variées (mode, souvenirs...) qui changent des habituelles marques internationales.

Vêtements et accessoires

⬥ **Arroz con Leche** [25]
lun-sam 11h à 15h et 16h à 20h, dim 11h à 17h; Pasaje Polanco, Av. Presidente Masaryk 360, 5281-4038, www.arrozconleche.com.mx

Cette minuscule boutique habille les enfants de six mois à huit ans avec d'adorables vêtements faits à la main par des artisans mexicains. Des tenues originales, colorées et abordables, qui sont le fruit d'un commerce équitable.

Pineda Covalin [29]
Campos Elíseos 215, 5282-2720, www.pinedacovalin.com

Vêtements pour hommes et femmes, sacs, bijoux et objets de décoration se parent ici des plus vives et des plus joyeuses couleurs mexicaines. Produits exclusivement confectionnés par des artisans, dont le prix reflète la qualité. Nombreuses boutiques en ville.

Polanco

5 ↘

Roma et La Condesa

À voir, à faire
(voir carte p. 83)

Les quartiers voisins de **Roma** ★★ et **La Condesa** ★★, les plus branchés de la capitale, offrent de jour comme de nuit un art de vivre bourgeois bohème. Rues ombragées d'arbres, architecture Art déco, parcs verdoyants, terrasses de café invitantes, restaurants à la mode, boutiques dans le vent et galeries d'art confèrent un air européen à ce secteur.

Paisible, bien que situé non loin du Centro Histórico, juste au sud de la Zona Rosa et bordant le Bosque de Chapultepec, cet endroit s'avère un lieu de résidence idéal à México. Roma, à l'est, et La Condesa, à l'ouest, se laissent découvrir agréablement à pied comme à vélo.

Le circuit débute à la Glorieta de los Insurgentes, bordée au nord par la Zona Rosa et au sud par le quartier Roma (métro Insurgentes).

Plaza Río de Janeiro [1]
angle Orizaba et Durango; métro Insurgentes

Un petit parc public orné d'une fontaine où trône une réplique du *David* de Michel-Ange, idéal pour commencer une journée en douceur et humer l'âme du quartier. Assis sur un banc à l'ombre d'arbres matures, on y côtoie familles en balade et promeneurs de chiens. La place est entourée de beaux édifices de style Art nouveau et d'un sympathique café (voir p. 86).

Museo del Objeto del Objeto (MODO) ★★ [2]
50$M; mar-dim 10h à 18h; Colima 145, 5533-9637, https://elmodo.mx; métro Insurgentes

Ce musée installé dans un bel édifice Art nouveau revisite l'histoire et

Plaza Río de Janeiro.

la culture de la société mexicaine à travers les objets et le design. Deux expositions temporaires sont présentées chaque année sur des thématiques allant du football aux boissons mexicaines en passant par la *lucha libre*. Boutique attrayante et originale.

Roma ★★

Il faut prendre le temps de flâner dans les belles rues de ce quartier chic et bohème, constitué en fait de deux secteurs, Roma Norte et Roma Sur. Immeubles à l'architecture néoclassique, boutiques à la mode et d'innombrables cafés et restaurants vous attendent à l'ombre des arbres qui verdissent le quartier. Pour une vue d'ensemble, empruntez les rues **Colima** [3] et **Orizaba** [4], puis la commerçante **Avenida**

Álvaro Obregón [5] avant de faire une pause sur la charmante **Plaza Luis Cabrera** [6].

Marchez vers l'est le long des rues Querétaro et Dr. Olvera (env. 20 min) ou prenez les autobus qui suivent ces voies.

Museo del Juguete Antiguo México ★ [7]

75$M; lun-ven 9h à 18h, sam 9h à 16h, dim 10h à 16h; Dr. Olvera 15, 5588-2100, http://museodeljuguete.mx; métro Obrera

Les grands enfants (et les petits) voudront faire un détour pour s'extasier devant l'incroyable collection de vieux jouets qui remplit les quatre étages de ce musée. En déambulant entre poupées Barbie, *stars* de la *lucha libre*, petites voitures et environ 40 000 autres objets, on s'offre

Roma et La Condesa

À voir, à faire ★

1.	EX	Plaza Río de Janeiro
2.	EX	Museo del Objeto del Objeto (MODO)
3.	EX	Calle Colima
4.	EX	Calle Orizaba
5.	EY	Avenida Álvaro Obregón
6.	EY	Plaza Luis Cabrera
7.	EY	Museo del Juguete Antiguo México
8.	CZ	Calle Amsterdam
9.	CZ	Fuente Ciltlaltépetl
10.	CZ	Parque México
11.	CY	Parque España

Cafés et restos ●

12.	EX	Café Toscano
13.	EY	Casa Tassel
14.	DZ	Comedor de los Milagros
15.	DY	Contramar
16.	DY	Delirio
17.	EY	Frutos Prohibidos
18.	DY	Galanga
19.	EZ	Helado Obscuro
20.	DY	Huset
21.	CY	Kura
22.	EY	La Docena
23.	EY	La Pitahaya
24.	DY	Lalo!
25.	DY	Máximo Bistrot Local
26.	DY	Mercado Roma
27.	CZ	MeroToro
28.	DY	Páramo/El Parnita
29.	DZ	Pâtisserie Dominique
30.	EY	Rosetta
31.	CZ	Tacos Hola

Bars et boîtes de nuit ♪

32.	CY	Condesa DF
33.	CY	La Bodeguita del Medio
34.	CY	La Clandestina/La Lavandería/El Trappist
35.	CZ	Pata Negra
36.	EX	Patrick Miller
37.	EY	Pulquería La Nuclear/La Botica/La Graciela/La Nacional
38.	DY	Pulquería Los Insurgentes

Culture et divertissement ♦

39.	EY	Foro del Tejedor

Lèche-vitrine ■

40.	DY	Bazar del Oro
41.	DX	Casa del Agua
42.	EX	Goodbye Folk
43.	CZ	Karani-Art
44.	AZ	Kurimanzutto
45.	EY	Librería a Través del Espejo
46.	DZ	Mercado de Medellín
47.	CZ	Tout Chocolat
48.	EX	Vértigo Galería
49.	CY	Void

Logement ▲

50.	BZ	Condesa Haus
51.	BZ	Distrito Condesa B&B
52.	CY	Hotel Boutique Villa Condesa
53.	EY	Hotel Milan
54.	EX	La Querencia DF
55.	CZ	Stella Bed and Breakfast
56.	CZ	Tao Bed and Breakfast
57.	CZ	The Red Tree House

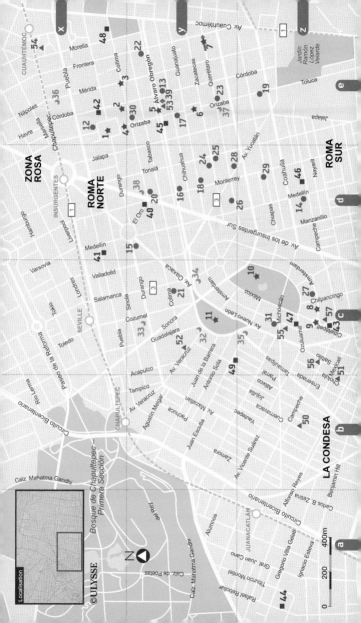

Parque México.

un voyage vers de joyeux souvenirs du siècle passé.

Rejoignez le quartier La Condesa, situé à l'ouest de l'Avenida de los Insurgentes.

La Condesa ★★

Plus huppé que son voisin, ce quartier est tout aussi agréable pour une balade à pied, notamment le long de la **Calle Amsterdam** [8], qui passe devant la jolie **Fuente Ciltlaltépetl** [9]. Ici, place à l'architecture Art déco et aux galeries d'art. Le soir, les bars et restaurants se remplissent d'une clientèle de jeunes professionnels à la mode.

Parque México ★★ [10]

angle Av. México et Av. Michoacán; métro Chilpancingo

Ce vaste et magnifique parc aménagé en 1927 représente le cœur de La Condesa. Densément boisé, il compte un plan d'eau où barbotent des canards, un grand théâtre en plein air (Foro Lindbergh), des jeux pour les enfants, ainsi que des allées ombragées parsemées de bancs publics où l'on s'installe volontiers en oubliant facilement la ville alentour. Le parc est entouré de beaux édifices et de plusieurs terrasses de café.

Parque España [11]

angle Av. Parras et Av. Nuevo León; métro Sevilla ou Chapultepec

À deux pas du précédent, ce parc nettement moins impressionnant s'avère tout de même agréable avec ses beaux arbres et autres palmiers. Les bars et salles de spectacle situés au sud du parc assurent l'animation du quartier le soir venu.

Cafés et restos

(voir carte p. 83)

⬤ Casa Tassel $ [13]

lun-sam 10h à 21h; Córdoba 110, 5264-3313,
http://casatassel.business.site

Comment ne pas craquer pour ce minuscule salon de thé? Musique douce, décor bucolique, une cinquantaine de thés chinois et japonais servis selon les rituels traditionnels, de petites douceurs pour les accompagner (pâtisseries, crêpes, sandwichs et petits déjeuners légers). Un endroit zen et adorable.

Frutos Prohibidos $ [17]

lun-ven 8h à 22h, sam-dim 9h à 19h;
Orizaba 125, angle Chihuahua, 5264-0181,
www.frutosprohibidos.com

Une cuisine saine, légère et colorée est servie dans ce restaurant convivial. Au menu: salades originales (avec fruits, légumes et fromage), sandwichs plus classiques et jus frais pour tous les goûts. Une bonne option pour les végétariens. Plusieurs adresses en ville.

Helado Obscuro $ [19]

dim-mer 11h à 21h, jeu-sam 11h à 22h; Orizaba
203, 4444-4878, www.heladoobscuro.com

Margarita au citron, mezcal et lait de coco, gin corossol et cardamome, vin rouge et vodka font partie des recettes glacées de cette crèmerie spécialisée en parfums alcoolisés. À ne pas mettre entre toutes les mains! Plusieurs succursales en ville.

La Pitahaya $ [23]

mar-sam 10h à 22h, dim 12h à 20h; Querétaro
90, 7824-0656, https://lapitahayavegana.mx

Les restaurants végans sont rares dans la capitale, mais heureusement celui-ci propose un menu aussi coloré que satisfaisant: *tacos* (roses!), *quesadillas*, curry, tofu et bol petit déjeuner plein de bonne énergie.

⬤ Tacos Hola $ [31]

lun-ven 9h à 21h, sam 9h à 19h, dim 8h30 à
16h; Amsterdam 135

On sert dans ce minuscule local de délicieux *tacos de guisado* (voir p. 56) depuis 1968. Faites votre choix parmi la sélection de mets présentés dans des pots de terre cuite (comme le foie, les sardines, le *chicharrón* et plusieurs options végétariennes) ou laissez-vous guider par les sympathiques serveurs. L'endroit ne compte qu'une table sur le trottoir, on y mange donc souvent debout.

Comedor de los Milagros $-$$ [14]

lun-mer 12h à 23h, jeu-ven 12h à 2h, sam 10h
à 2h, dim 10h à 23h; Medellín 221, 5264-8522,
www.facebook.com/comedordelosmilagros

Les aires de restauration sont à la mode à México. Celle-ci, à l'image du quartier populaire où elle est située, se spécialise dans les cuisines d'Amérique latine. *Arepas* colombiennes, *asado* argentin et *ceviche* péruvien sont au menu des restaurants entourant la placette où trônent les tables communes. Pour une version moins édulcorée, optez

Roma et La Condesa

Mercado Roma.

pour le **Mercado de Medellín** (voir p. 92), juste en face.

Delirio $-$$ [16]
lun-mer 8h à 22h, jeu-sam 8h à 0h, dim 9h à 19h; Monterrey 116, angle Av. Álvaro Obregón, 5584-0870, http://www.delirio.mx

À la fois épicerie fine, boulangerie-pâtisserie et café-restaurant, cette chaleureuse adresse est agréable pour le petit déjeuner autant que pour un repas sur le pouce (bons petits plats méditerranéens).

Café Toscano $$ [12]
lun-jeu 7h30 à 23h, ven-sam 7h30 à 0h, dim 8h à 22h; Orizaba 42, 5533-5444

Un sympathique café de quartier où il fait bon s'attabler à la terrasse face à la jolie Plaza Río de Janeiro. Savoureux petits déjeuners, salades, paninis, pizzas et autres petits plats à la mode italienne le reste de la journée; bon café en tout temps.

Mercado Roma $$ [26]
dim-mer 9h à 20h, jeu-sam 9h à 22h (bar ouvert jusqu'à 2h); Querétaro 225, 5564-1396, http://mr.mercadoroma.com

Cette aire de restauration est bien à l'image du quartier: branchée et contemporaine. Une cinquantaine de comptoirs proposent une offre variée de plats allant de la cuisine vietnamienne au *pozole* en passant par les sushis et les pizzas. Le *biergarten* aménagé sur la terrasse couverte à l'étage sert bières artisanales et poutine locale!

★ Pâtisserie Dominique $$ [29]
mer-sam 8h30 à 18h30, dim 9h à 14h; Chiapas 157, 5564-2010, www.facebook.com/PatisserieDominique

Baguettes croustillantes, délicieuses viennoiseries et tartes sont l'œuvre de la pâtissière française Dominique, qui prépare aussi des petits déjeuners gourmets à déguster sur place et, le midi, des sandwichs et un plat du jour bio selon la bonne humeur de la chef. Un endroit simple, accueillant et tout en douceur.

Contramar $$-$$$ [15]
dim-jeu 12h à 18h30, ven-sam 12h à 20h; Durango 200, 5514-3169, www.contramar.com.mx

Une des meilleures adresses en ville pour déguster poissons et fruits de mer. *Tacos* de poulpe, *tostada* de thon, soupe de poisson, *ceviche* et autres poissons grillés sont au menu. Réservez ou arrivez avant 13h pour vous assurer d'avoir une place dans cette élégante salle aux couleurs marines.

Galanga $$-$$$ [18]
mar-sam 13h à 22h30, dim 13h à 18h; Guanajuato 202, 6550-4492, www.galangathaikitchen.com

Un bel endroit pour changer de la cuisine mexicaine : on sert dans cet accueillant petit restaurant une authentique cuisine thaïe concoctée par une chef thaïlandaise. Réservations conseillées en soirée.

La Docena $$-$$$ [22]
tlj 13h30 à 2h30; Av. Álvaro Obregón 31, 5208-0833, http://ladocena.com.mx

Les amateurs d'huîtres et autres fruits de mer seront heureux de se retrouver dans ce grand bistro convivial. Les carnivores ne sont pas en reste (hamburgers, grillades) et tout le monde s'accorde au moment du dessert sur le choix de l'irrésis-

tible *Volcán de dulce de leche*. Bon rapport qualité/prix.

Lalo! $$-$$$ [24]
mar-dim 8h à 18h; Zacatecas 173, 5564-3388, http://eat-lalo.com

Voilà l'occasion de goûter à la cuisine du chef du fameux **Máximo Bistrot Local** (voir p. 88), situé juste en face, et ce, à moindre coût. *Ceviches*, pizza et *pasta* ne laissent pas indifférents, mais les petits déjeuners sont particulièrement conseillés. Et si les couleurs des murs bariolés ne vous réveillent pas, commandez un double espresso.

Huset $$$ [20]
mar-mer 14h à 0h, jeu-ven 14h à 2h, sam 10h à 2h, dim 10h à 18h; Colima 256, 5511-6767, www.huset.mx

La campagne mexicaine est ici à l'honneur. Dans l'assiette (menu de saison, recettes familiales, produits du terroir cuits au feu de bois) comme dans le décor, les tables en bois installées dans la chic cour intérieure pleine de verdure créant une belle oasis urbaine. Présentation soignée et bons brunchs le week-end.

Kura $$$ [21]
tlj 11h30 à 0h; Colima 378, 5511-8665, www.facebook.com/kuraizakaya

Un restaurant japonais genre *izakaya* proposant sushis, grillades, *kushikatsu* (bœuf pané et frit), soupes et une foule d'autres mets à déguster en buvant saké et bières nippones. La terrasse arrière est tranquille, mais le long bar face à la cuisine est plus attrayant. Ambiance jeune et jazzy, réservations conseillées.

Páramo $$$ [28]

tlj 19h à 1h; Av. Yucatán 84, 3474-2613, www.facebook.com/ParamoRoma

L'atmosphère de rendez-vous de quartier qu'offre ce sympathique restaurant mexicain donne envie d'y passer la soirée. Grande salle sous verrière ou salons plus intimes pour déguster soupes, *ceviches*, *tacos* et *cazuelas* inspirés d'un peu partout au pays, que l'on accompagne volontiers de bons cocktails. Au rez-de-chaussée, **El Parnita** *($$; mar-dim 13h30 à 18h; 5264-7551)* propose le même concept en journée.

MeroToro $$$-$$$$ [27]

lun-sam 13h à 23h, dim 13h à 18h; Amsterdam 204, 5564-1188, www.merotoro.mx

Un endroit de choix pour goûter à la gastronomie de la Basse-Californie, qui mêle allègrement produits de la mer et de la terre. Contentez-vous de partager quelques assiettes de style tapas pour un repas léger et plus abordable, bien que les spécialités du chef, comme la joue de porc et son œuf poché, soient aussi tentantes. Salle moderne et élégante, bon service.

Rosetta $$$-$$$$ [30]

lun-sam 13h30 à 23h30; Colima 166, 5533-7804, www.rosetta.com.mx

Le décor champêtre chic (magnifique cour intérieure) et la fine gastronomie italienne sont à la base de la réputation de ce restaurant où les réservations sont conseillées. Dom-

mage que l'accueil ne soit pas toujours cordial.

◉ Máximo Bistrot Local $$$$ [25]

mar-sam 13h à 17h et 19h à 23h, dim 13h à 16h; Tonalá 133, 5264-4291, www.maximobistrot.com.mx

Le chef Eduardo García s'enorgueillit de n'avoir aucune spécialité, mais seulement de savoir bien cuisiner. Et on le croit volontiers en se délectant de ses plats qui s'adaptent quotidiennement aux produits du marché pour allègrement créer une union gastronomique innovatrice entre l'Europe et l'Amérique latine. Du grand art servi sans prétention. Réservations conseillées.

Bars et boîtes de nuit

(voir carte p. 83)

Condesa DF [32]

dim-mer 14h à 23h, jeu-sam 14h à 1h; Av. Veracruz 102, 5241-2600, www.condesadf.com

Pour s'offrir un moment de grâce, confortablement installé sur les sofas du resto-bar *($$$; sushis)* aménagé sur le toit-terrasse de cet hôtel-boutique, avec le Parque España en vue panoramique et un cocktail à la main. Réservations conseillées le soir.

La Bodeguita del Medio [33]

tlj 13h30 à 2h; Cozumel 37, 5553-0246, http://labodeguitadelmedio.com.mx

Cette franchise du célèbre bar de La Havane offre le même style : murs tagués aux milliers de signatures,

MeroToro.

bonne sélection de rhums cubains en plus du mojito maison, et *trova* ou salsa tous les soirs. Ambiance festive et menu *criollo ($$)*.

La Clandestina [34]
lun-sam 17h à 1h; Av. Álvaro Obregón 298, angle Nuevo León, 5212-1871, www.milagrito.com

Sombre, un brin gothique mais convivial, ce bar à mezcal propose une vingtaine de distillations artisanales. Commandez les verres de dégustation pour goûter à plusieurs variétés. Bonnes petites bouchées pour les accompagner. Juste à côté, le bar **La Lavandería** concocte de savoureux cocktails et **El Trappist** propose moult bières artisanales.

Pata Negra [35]
tlj 13h à 2h; Tamaulipas 30, 5211-5563

Resto-bar de tapas espagnoles *($$-$$$)* au rez-de-chaussée, doublé

d'un *salón* à l'étage où des concerts (rock, jazz) sont présentés du mardi au samedi, avec une pause le mercredi, jour des classes de salsa. Idéal pour côtoyer la jeunesse branchée de La Condesa. Deux autres adresses en ville.

Patrick Miller [36]
30$M; ven 21h à 4h; Mérida 17, 5511-5406, https://xaman.bar

L'endroit rêvé pour danser sur les tubes des années 1980 à 2000 sous une boule disco et dans une bonne ambiance. Sachez que la file d'attente peut être longue, et que le bar sert uniquement de l'eau et de la bière.

Pulquería La Nuclear/ La Botica/La Graciela/ La Nacional [37]

La **Pulquería La Nuclear** *(lun-mer 17h à 0h, jeu-sam 17h à 2h; Queré-*

Pulque.

taro 96, angle Orizaba, 5574 5367) sert *pulque* et *curado* (voir p. 91) dans le plus pur style de ces bars aux murales colorées. Au coin de la rue, **La Botica** *(même horaire que La Nuclear; Orizaba 161, 5515 76115, http://laboticamezcaleria.com; plusieurs succursales en ville)* propose des mezcals artisanaux aux saveurs inusitées, tel l'*oro verde* au goût de marijuana. Juste à côté, **Graciela** *(lun-mer 12h à 0h, jeu-sam 12h à 2h, dim 13h à 22h; Orizaba 163, 5584 2728, www.graciela.mx)* fabrique sur place des bières artisanales tout en proposant d'autres produits de microbrasseries mexicaines. Ces trois établissements étant partenaires, vous pouvez commander dans chacun les spécialités des autres. On y prépare aussi de petits plats, mais pour une

faim plus conséquente, optez pour le menu du quatrième de la bande, **La Nacional** *($$; même horaire que Graciela; Orizaba 161, local 3, 5264 3106)*, qui concocte aussi des cocktails inventifs. Terrasses débordant sur le trottoir et ambiance conviviale sur tout le coin de rue.

Pulquería Los Insurgentes
[38]

entrée libre; jeu-sam 13h à 3h, dim-mer 14h à 1h; Av. de los Insurgentes Sur 226, 5207-0917, www.pulqueriainsurgentes.tv

Pulque (voir p. 91), culture alternative et musique font ici bon ménage. Commandez la saveur du jour et visitez à votre gré les trois étages avec chacun DJ et concerts différents, avant de finir par la terrasse sur le toit. Faune aussi éclectique que le décor.

Alcools mexicains

À l'image de sa cuisine, la gamme des alcools mexicains est variée et fortement ancrée dans ses traditions préhispaniques. Voici quelques boissons qui vous permettront de porter un toast au Mexique.

Cerveza artisanal : plus affirmées et puissantes que les marques traditionnelles (Modelo, Corona, Victoria…), les bières de microbrasseries sont à la mode à México. Brassées en petites quantités, elles sont souvent vendues directement au bar qui les produit.

Mezcal: résultat de la cuisson puis de la double distillation du cœur des agaves, cet alcool puissant (45° à 70°) provient traditionnellement de la région d'Oaxaca. Les meilleurs mezcals sont produits de façon artisanale, en petites quantités, et sont souvent commercialisés sans marque dans des bars spécialisés et de plus en plus à la mode, les *mezcalerías*. Son goût, distinct de la tequila, conserve souvent le fumé du bois de la cuisson.

Pulque : cette boisson traditionnelle fermentée est fabriquée à partir de l'agave et pourrait être comparée à une bière préhispanique. Faible en alcool et d'aspect légèrement visqueux, le *pulque* peut se boire tel quel ou en **curado**, c'est-à-dire mélangé à des saveurs naturelles (fruits, céréales, miel). Après être tombé en désuétude, cette boisson est de nouveau en vogue et les *pulquerías*, des établissements traditionnellement décorés de murales colorées, attirent une clientèle rajeunie.

Sotol : produit avec la plante éponyme, cet alcool distillé, originaire du nord du Mexique, est souvent comparé au mezcal, car sa production est similaire. Cependant, son goût est plus proche de celui de la tequila. Le *sotol* est généralement fabriqué de façon artisanale et se déguste dans les *mezcalerías*.

Tequila: connu partout dans le monde, cet alcool distillé à partir du jus de l'agave bleu jouit d'une appellation d'origine contrôlée de l'État de Jalisco. Il existe de nombreuses marques, mais pour goûter à une tequila de qualité, vérifiez bien qu'elle soit produite à 100% avec de l'agave bleu, les autres incorporent différents sucres dans leur recette.

Culture et divertissement

(voir carte p. 83)

Foro del Tejedor [39]
Av. Álvaro Obregón 86, 5574-7034,
www.forodeltejedor.com

Au dernier étage de la belle librairie-café Cafebrería El Péndulo, cette petite salle de spectacle offre une ambiance feutrée pour des spectacles intimes (concerts variés, théâtre...). Le bar-terrasse de la librairie est idéal pour terminer la soirée en beauté.

Lèche-vitrine

(voir carte p. 83)

Alimentation

Casa del Agua [41]
dim-mar 10h à 18h, mer-sam 10h à 20h;
Puebla 242, 6277-7009,
www.casadelagua.com.mx

Un concept original et ingénieux : l'eau de pluie est collectée sur le toit du bâtiment, puis purifiée avant d'être commercialisée, naturelle ou gazeuse, avec ou sans saveurs, dans de belles bouteilles en verre. Terrasse sur le toit pour la goûter sur place.

✆ Mercado de Medellín [46]
tlj 7h à 18h30; Campeche 101

Connu sous le nom de « Petite Havane », le secteur compte bon nombre de commerces d'Amérique latine, tout comme ce coloré marché dont les comptoirs de produits ali-

mentaires et les nombreux kiosques de restauration *($)* font voyager les papilles de la Colombie au Venezuela en passant par Cuba et le Brésil.

Tout Chocolat [47]
lun-sam 9h à 21h, dim 10h à 18h;
Amsterdam 154, 5211-9840,
www.facebook.com/ToutChocolatMX

Gâteaux, bouchées, confiseries, tablettes... Tout est fait sur place avec du cacao provenant principalement du Mexique. Irrésistible.

Artisanat

Bazar del Oro [40]
sam-dim 10h à 19h; Calle Oro, entre Av. de los Insurgentes et Plaza Villa de Madrid

Ce marché aux puces bien connu des *Capitalinos* investit tous les week-ends une rue entière. Comptoirs de bijouterie, d'artisanat et de vêtements côtoient les obligatoires kiosques alimentaires. Bonne ambiance familiale.

Galeries d'art

Kurimanzutto [44]
mar-jeu 11h à 18h, ven-sam 11h à 16h;
Gob. Rafael Rebollar 94, 5256-2408,
www.kurimanzutto.com

L'une des principales galeries d'art contemporain de la capitale. Expositions temporaires d'artistes mexicains et internationaux.

Vértigo Galería [48]
mer-ven 17h à 20h, sam 10h à 17h; Colima 23,
5207-3590, www.vertigogaleria.com

Un espace contemporain et décalé, à la fois galerie d'art pop et boutique

Mercado de Medellín.

d'objets uniques et originaux (jouets, livres, vêtements, musique…).

Librairies

Librería a Través del Espejo [45]

tlj 10h à 20h; Av. Álvaro Obregón 118, 5264-0246

L'Avenida Álvaro Obregón compte plusieurs excellentes librairies de livres neufs et d'occasion, dont celle-ci, qui dispose d'un petit rayon de titres en français.

Vêtements et accessoires

Goodbye Folk [42]

lun-ven 9h à 21h, sam-dim 11h à 20h; Córdoba 55, 5525-4109, https://goodbyefolk.com

On déniche ici des vêtements neufs ou d'occasion pour hommes et femmes, et surtout de splendides chaussures en cuir faites à la main,

proposées aussi sur mesure (délai de trois à quatre semaines, possibilité d'envoi postal international). Original et abordable.

Karani-Art [43]

lun-sam 8h à 21h, dim 10h à 18h; Citlaltépetl 36, 5264-0616, http://karaniart.com.mx

Catrinas et autres symboles mexicains colorés ornent les t-shirts, sacs et même les chaussures de cette boutique. Produits de qualité et à bon prix. Plusieurs succursales en ville.

Void [49]

tlj 11h à 20h; Parral 5, 5086-8190, https://voidmx.com

Une friperie chic spécialisée dans les vêtements rétro haute couture. L'occasion de se vêtir en Chanel, Dior ou Saint Laurent, ou de simplement flâner dans cette jolie boutique.

6 ⬎

Coyoacán

À voir, à faire

(voir carte p. 97)

Excentré au sud de la ville, le quartier **Coyoacán** ★★★ ressemble à un village enclavé dans la mégapole. Il suffit de flâner le long des paisibles rues pavées, bordées de maisons colorées, de s'asseoir sur un banc d'une des places ombragées, ou encore de prendre un café au Jarocho pour humer la paisible atmosphère bohème qui règne ici. L'histoire de Coyoacán remonte à l'époque préhispanique et Hernán Cortés y établit son gouvernement. Bâtiments coloniaux, églises ancestrales et nobles demeures parfaitement entretenues dessinent encore le paysage de ce quartier où il fait bon vivre depuis longtemps. Coyoacán conserve aussi l'empreinte des célèbres artistes et intellectuels qui y ont résidé, Frida Kahlo en tête.

Ajoutez à cela d'agréables espaces verts, des musées majeurs, un marché populaire, et vous comprendrez aisément pourquoi Coyoacán est une destination incontournable à México. Prévoyez une journée complète pour explorer ce quartier, bien plaisant également pour un séjour prolongé.

Le circuit débute dans le nord du quartier. De la station de métro Coyoacán, suivez l'Avenida México vers le sud, puis tournez à gauche dans la Calle Viena, plus agréable à parcourir que l'Avenida Río Churubusco.

Museo Casa de León Trotsky ★ [1]

40$M; mar-dim 10h à 17h; Av. Río Churubusco 410, 5658-8732, http://museocasaleontrotsky.blogspot.ca; métro Coyoacán

Coyoacán

Museo Frida Kahlo.

Coyoacán

L'ancienne résidence (1939-1940) du révolutionnaire russe Léon Trotsky semble être figée dans le temps depuis son assassinat en ces lieux le 20 août 1940. La maison conserve les meubles d'époque et permet de survoler la vie de Trotsky par le biais de photos d'archives et d'objets personnels. Dans le jardin, on peut se recueillir sur les tombes de Trotsky et de son épouse. Agréable petit café *($)* sur place.

Museo Frida Kahlo ★★★ [2]

200$M mar-ven, 220$M sam-dim; mar et jeu-dim 10h à 17h30, mer 11h à 17h30; Londres 247, 5554-5999, www.museofridakahlo.org. mx; métro Coyoacán

Deux rues plus au sud, la **Casa Azul**, comme on l'appelle aussi souvent en raison de sa façade d'un bleu éclatant, est l'ancienne demeure familiale (1904-1958) de la plus célèbre peintre latino-américaine du XXe s. Cette belle maison ainsi que les artéfacts et les œuvres qui la parsèment traduisent avec justesse, humanité et tendresse l'univers de l'artiste, ses lieux de créativité et son quotidien. Le jardin, la cuisine traditionnelle, le studio et les salles d'exposition constituent les points forts de la visite. Par contre, l'expérience souffre de sa grande popularité. Il est fortement conseillé de réserver son billet sur le site Internet du musée. Cela vous évitera de patienter dans la rue (1h en semaine et 3h le week-end en moyenne), mais ne vous préservera pas de la foule à l'intérieur.

Rejoignez la Calle Aguayo, que vous suivrez vers le sud jusqu'au centre du quartier.

Coyoacán

Coyoacán

Antiguo Palacio de Ayuntamiento de Coyoacán.

À voir, à faire ★

1.	DX	Museo Casa de León Trotsky
2.	CY	Museo Frida Kahlo
3.	CY	Jardín Plaza Hidalgo/Antiguo Palacio de Ayuntamiento de Coyoacán
4.	CY	Iglesia de San Juan Bautista
5.	CY	Jardín Centenario/Fuente de los Coyotes

6.	DY	Museo Nacional de Culturas Populares
7.	DZ	Plaza y Capilla de la Conchita/ Iglesia de la Inmaculada Concepción
8.	DZ	Museo Diego Rivera Anahuacalli
9.	AY	Fonoteca Nacional
10.	BY	Viveros Coyoacán

Cafés et restos ●

11.	DY	Alverre
12.	CY	Café El Jarocho
13.	BZ	Café Ruta de la Seda
14.	CX	Chamorros Coyoacán
15.	CY	Corazón de Maguey
16.	DZ	Ecos del Mundo

17.	DY	Fonda La Tala
18.	CY	La Casa del Pan Papalotl
19.	DY	La Santa Gula
20.	CY	Los Danzantes
21.	DY	Mercado de Coyoacán

Bars et boîtes de nuit ♩

22.	CX	Centenario 107
23.	CY	La Bipo

24.	DY	La Coyoacana
25.	CY	Mezcalero

Lèche-vitrine ■

26.	BY	Barricas don Tiburcio
27.	CY	Bazar Coyoacán
28.	DY	Centro Cultural Elena Garro

29.	CY	Mayolih
30.	CY	Mercado Artesanal

Logement ▲

31.	DY	Casa Ayvar
32.	DY	Casa Moctezuma

33.	CY	Chalet del Carmen Coyoacán
34.	CY	Pug Seal Coyoacán

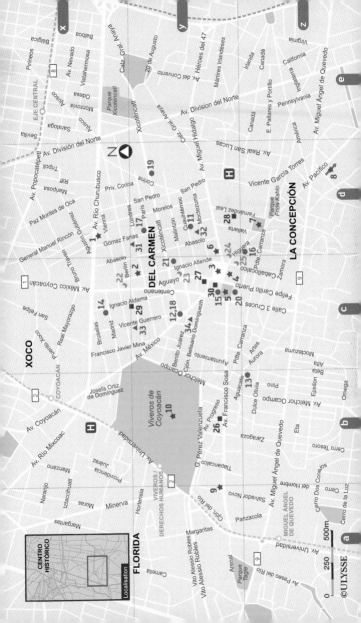

Coyoacán

Iglesia de San Juan Bautista.

Jardín Plaza Hidalgo ★ [3]

Joliment boisée et accueillant une typique gloriette au centre, cette place publique permet une halte agréable. Son côté nord est bordé par l'**Antiguo Palacio de Ayuntamiento de Coyoacán**, superbe édifice ocre bâti au XVIIIe s., parfois nommé à tort la Casa de Hernán Cortés. Il loge des bureaux municipaux et ne se visite pas.

Iglesia de San Juan Bautista ★★ [4]

Plaza Centenario 8, 5554-6376; métro Coyoacán ou Viveros

Juste au sud du Jardín Plaza Hidalgo se dresse la façade baroque de cette église érigée en 1552, l'une des plus anciennes de México. Son apparence austère cache un riche intérieur, avec notamment de superbes plafonds peints.

Jardín Centenario ★ [5]

Face à l'église, ce paisible parc public agréablement ombragé est célèbre pour sa **Fuente de los Coyotos**, une fontaine symbolique du quartier, Coyoacán signifiant «l'endroit des propriétaires de coyotes» en nahuatl – d'ailleurs, le mot «coyote» est d'origine nahuatl (aztèque). Il est entouré d'invitants bars et restaurants.

Museo Nacional de Culturas Populares ★ [6]

14$M, dim entrée libre; mar-jeu 10h à 18h, ven-dim 10h à 20h; Av. Miguel Hidalgo 289, 4155-0920, http://museoculturaspopulares. gob.mx; métro Coyoacán ou Viveros

À l'est du Jardín Plaza Hidalgo, les expositions temporaires de ce musée mettent en valeur la diversité culturelle et les traditions du Mexique.

Frida Kahlo et Diego Rivera

Couple phare de la scène artistique et intellectuelle mexicaine de la première moitié du XXe s., Frida Kahlo (1907-1954) et Diego Rivera (1886-1957) se sont mariés en 1929 une première fois, puis, après avoir divorcé, une seconde fois en 1940.

Frida Kahlo, le corps brisé par la poliomyélite et un grave accident, est connue pour ses autoportraits traversés par la souffrance. Empreints de réalisme, ses tableaux se colorent d'un véritable jardin des merveilles mexicain où figurent animaux et symboles du pays. Diego Rivera, qui a fait ses classes entre le Mexique et l'Europe, est célèbre pour ses fresques monumentales qui ornent de nombreux murs d'édifices publics dans la capitale (voir p. 33).

Tous les deux sympathisants communistes, ils accueillirent Léon Trotski à la Casa Azul lors de son arrivée au Mexique en 1937, période pendant laquelle Frida eut une liaison avec le révolutionnaire russe en exil. La vie tumultueuse de Frida et Diego, ponctuée d'aventures extraconjugales, de séjours à l'étranger (notamment aux États-Unis) et de nombreuses hospitalisations de Frida, a nourri leurs œuvres respectives. Ce couple hors norme est honoré depuis 2010 sur les billets de 500 pesos.

À l'angle sud-est du Jardín Plaza Hidalgo, empruntez la Calle Higuera.

Plaza y Capilla de la Conchita ★★ [7]
angle Higuera et Vallarta; métro Viveros ou General Anaya

Sur cette adorable place aux allées pavées fut érigée en 1521, sur ordre de Cortés et sur les ruines d'un centre cérémonial aztèque, l'une des toutes premières églises catholiques du Mexique. De style baroque, elle est officiellement baptisée **Iglesia de la Inmaculada Concepción**.

L'attrait suivant étant situé à 3,5 km au sud-est de la Plaza de la Conchita (par l'Avenida Pacífico), nous vous suggérons de prendre un taxi pour vous y rendre.

Museo Diego Rivera Anahuacalli ★★★ [8]
90$M; mer-dim 11h à 17h30; Museo 150, San Pablo Tepetlapa, 5617-3797, www. museoanahuacalli.org.mx; métro Xotepingo

Cet édifice surprenant, austère et massif, créé et conçu par Diego Rivera pour exposer sa collection personnelle de plus de 50 000 arté-

Coyoacán

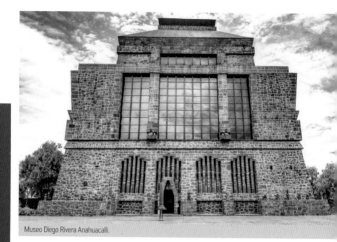

Museo Diego Rivera Anahuacalli.

facts préhispaniques, est constitué de pierres volcaniques. Sa structure rappelle les pyramides aztèques et mayas, mais s'accompagne d'un style vaguement communiste. L'intérieur, qui incorpore aussi plusieurs éléments architecturaux empruntés aux civilisations précolombiennes, est impressionnant. En plus des trésors archéologiques, on y admire de grands croquis réalisés par Diego Rivera dans l'élaboration de ses murales. Petit café sur place.

Retournez dans le centre de Coyoacán et empruntez, juste à l'ouest du Jardín Centenario, la jolie Avenida Francisco Sosa (avec sa place éponyme), ou l'une des charmantes ruelles qui longent cette avenue au sud, comme la Calle del Aguacate.

Fonoteca Nacional ★ [9]

entrée libre; lun-sam 10h à 19h; Av. Francisco Sosa 383, 4155-0950, www.fonotecanacional.gob.mx; métro Viveros

Les jardins de l'andalouse Casa Alvarado, qui fut l'ultime demeure du Prix Nobel de littérature Octavio Paz, invitent à un voyage à travers les sons du Mexique. Vieux airs traditionnels, voix d'artistes et poètes accompagnent le visiteur dans une bucolique promenade. Un havre de paix que l'on partage avec les chats du quartier. La phonothèque organise régulièrement des concerts gratuits (classiques ou traditionnels mexicains).

Viveros Coyoacán ★ [10]

entrée libre; tlj 6h à 18h; par Av. Progreso (sud), Madrid (nord) ou Melchor Ocampo (ouest), www.viveroscoyoacan.gob.mx; métro Viveros

Le grand arboretum de la capitale se prête à une agréable promenade le long des allées ombragées de jaca-randas, palmiers, cèdres et autres acacias.

Cafés et restos

(voir carte p. 97)

Café El Jarocho $ [12]
tlj 6h à 2h; Cuauhtémoc 134, angle Ignacio Allende, 5554-5418, www.cafeeljarocho.com.mx
Véritable institution de Coyaocán, ce café ouvert depuis 1953 est un populaire rendez-vous de quartier, où tout le monde vient boire un *cortado* ou un latté glacé. Plusieurs succursales dans les environs, offrant toutes un environnement simple et convivial.

Fonda La Tala $ [17]
tlj 8h30 à 18h; Gómez Farias 117, angle Paris, 5659-1939
Une agréable petite *fonda* où s'attablent les gens du quartier pour se rassasier de plats mexicains sans prétention. Le midi, le menu du jour est une véritable aubaine. Décor coloré et service sympathique.

La Casa del Pan Papalotl $ [18]
tlj 8h à 22h; Av. México 25-B, 3095-1767, www.casadelpan.com
Cette sympathique petite boulangerie artisanale propose, en plus de ses pains et viennoiseries, une belle variété de plats végétariens et végétaliens pour tous les repas de la journée (salades, spécialités mexicaines et internationales). Terrasse abritée sur le trottoir.

Café Ruta de la Seda $-$$ [13]
tlj 8h à 22h; Aurora 1, angle Pino, 3869-4888, www.caferutadelaseda.com
Qu'ils soient au thé vert ou au chocolat, les gâteaux de cette boulangerie-pâtisserie sont tous irrésistibles, en plus d'être préparés avec des produits bios. On peut aussi savourer ici des petits déjeuners, des tartines et de petits plats inspirés de la Route de la soie, dans la chaleureuse petite salle ou sur la terrasse donnant sur le Parque Santa Catarina.

Chamorros Coyoacán $-$$ [14]
lun-sam 10h à 19h; Madrid 29, 5554-5411
La viande grillée ou cuisinée de moult façons est la spécialité de ce restaurant mexicain de quartier. La salle ressemble à un gymnase, mais l'accueil est chaleureux. Une bonne adresse pour changer des restaurants touristiques du centre de Coyoacán.

Mercado de Coyoacán $-$$ [21]
tlj 8h à 18h; Ignacio Allende, angle Malintzin
Le marché central de Coyoacán est un excellent endroit pour se restaurer. Une multitude de comptoirs colorés vendent *tacos, tostadas, quesadillas* et toutes les spécialités mexicaines dont vous pourriez rêver, en plus de fruits frais et exotiques parfaits pour le dessert. À l'angle sud-ouest du marché, la terrasse du **Jardín del Pulpo** *($-$$)* est une bonne option pour les fruits de mer.

Coyoacán

Coyoacán

Jardin Centenario.

Alverre $$ [11]
lun-ven 8h à 22h, sam-dim 9h à 22h;
Gómez Farias 42, 5658-9027,
http://alverre-cafe-bistro.business.site

Pâtes, salades, petits plats méditerranéens et petits déjeuners mexicains sont au menu de ce sympathique café-bistro. Service agréable et salle au goût du jour joliment réchauffée par les couleurs des peintures d'artistes mexicains.

Ecos del Mundo $$ [16]
lun-jeu 8h à 22h, ven-sam 9h à 0h, dim 9h à 22h; Higuera 25, 5658-7192

Le menu de ce petit restaurant chaleureux et coloré offre un tour du monde: gazpacho espagnol, curry thaï, hamburger new-yorkais, pizza italienne et petit déjeuner mexicain. Plusieurs options végétariennes et végétaliennes, bons jus de fruits frais. Une adresse aussi agréable pour une pause que pour un repas sain.

La Santa Gula $$ [19]
lun-sam 11h30 à 21h30; Xicoténcatl 168, 5914-7001, www.facebook.com/lasantagula

Légèrement excentré, ce sympathique petit restaurant propose des spécialités maltaises (*arancini*, lasagnes) et des hamburgers originaux (pain maison). Accéder à ce local tout en longueur oblige les convives à passer par la cuisine pour prendre place sur l'agréable terrasse couverte.

Corazón de Maguey $$-$$$ [15]
lun-ven 12h30 à 1h, sam-dim 9h à 1h;
Jardín Centenario 9, 5554-7555,
www.corazondemaguey.com

Mezcals artisanaux et cuisine typique mexicaine sont au menu de ce restaurant au chaleureux cadre contemporain. *Tlayuda* (voir p. 56), *pozole* et *mole* sont ici recommandés. Agréable terrasse donnant sur le Jardín Centenario.

🪶 Los Danzantes $$$ [20]
lun-jeu 12h30 à 23h, ven-sam 9h à 1h, dim 9h à 23h; Jardín Centenario 12, 5554-1213, www.losdanzantes.com

Que ce soit la superbe terrasse donnant sur le parc ou le décor mexicain moderne, ce cadre élégant est à l'image de la cuisine servie ici : mexicain et contemporain. On y sert des spécialités peu courantes, comme la *hoja santa* (feuille de poivrier remplie de fromage d'Oaxaca), le risotto au *mole verde* ou les raviolis farcis de *huitlacoches* (champignons se développant sur le maïs). Service professionnel et bon choix de mezcals.

Bars et boîtes de nuit

(voir carte p. 97)

🪶 Centenario 107 [22]
dim-lun 13h à 23h, mar-mer 13h à 0h, jeu-sam 13h à 2h; Centenario 107, 5536-0913, www.centenario107.com

Les bières artisanales, principalement mexicaines, sont la spécialité de ce chaleureux établissement, qui en propose une centaine dont une vingtaine à la pression. Le menu varié (tapas, hamburgers, salades, pizzas), l'ambiance tranquille et la belle salle à la décoration végétale assurent une soirée bien plaisante.

La Bipo [23]
dim-mar 12h à 0h, mer-sam 12h à 2h; Malintzin 155, 5484-8230

Grandes tables communes et ambiance funky attirent une clien-tèle jeune et festive dans cette *cantina* moderne. Concerts (funk, jazz, rockabilly) les jeudis soir, terrasse et petites bouchées. Autre adresse dans le quartier de San Ángel.

La Coyoacana [24]
lun 12h à 0h, mar-mer 13h à 1h, jeu-sam 13h à 2h, dim 12h à 22h; Higuera 14, 5658-5337, http://lacoyoacana.com

Cette *cantina* traditionnelle attire les résidents comme les touristes dans sa grande salle et son accueillante cour intérieure. Vaste choix de tequilas, mezcals et quelques bières artisanales, en plus d'un menu mexicain bien fourni *($$)*. Des mariachis assurent l'animation à l'occasion.

🪶 Mezcalero [25]
dim-mer 13h à 0h, jeu-sam 13h à 2h; Caballocalco 14, 5554-7027

Un endroit de choix pour goûter à des mezcals artisanaux. Le propriétaire est un passionné qui va chercher ses bouteilles directement chez les *maestros mezcaleros* et qui partage avec joie ses vastes connaissances sur ce divin breuvage. Ambiance tranquille et intéressant menu *($$)* aux accents d'Oaxaca.

Lèche-vitrine

(voir carte p. 97)

Alimentation

Barricas don Tiburcio [26]
lun-sam 11h à 20h, dim 11h à 16h; Francisco Sosa 243, 5554-7359, www.barricasdontiburcio.com

Les rayons de cette épicerie fine sont remplis de bons produits mexi-

Coyoacán

Coyoacán

Barricas don Tiburcio.

cains, entre autres différents miels, sauces, fromages et confitures, ainsi que d'une bonne sélection de vins locaux.

Artisanat

Bazar Coyoacán [27]
lun-jeu 12h à 21h, ven-dim 12h à 23h; Aguayo 12, http://bazar-coyoacanos.business.site
On ne trouve que de petits comptoirs de marques mexicaines dans ce mini-centre commercial vendant aussi bien alcools que vêtements et objets décoratifs, sans oublier les crèmes glacées de **Helado Obscuro** (voir p. 85). Juste à côté, le **Mercado Artesanal** [30] *(face au Jardín Plaza Hidalgo)* n'offre pas la même qualité.

Mayolih [29]
lun-ven 11h à 20h, sam 11h à 19h; Ignacio Aldama 74, angle Berlín, 5658-5588, www.mayolih.com

L'artisanat de qualité que l'on déniche dans cette boutique équitable provient des quatre coins du pays. Vêtements, bijoux, accessoires et autres objets sont tous faits main et proposés à prix raisonnables.

Librairies

Centro Cultural Elena Garro [28]
tlj 10h à 21h; Fernández Leal 43, 3003-4080, www.educal.com.mx/elenagarro
Le superbe écrin contemporain de ce centre culturel accueille une excellente librairie proposant une sélection de livres en français dont de nombreuses traductions d'auteurs mexicains. On peut aussi profiter ici du tranquille café-terrasse et des activités culturelles gratuites (cinéma le lundi à 18h30, avec films mexicains ou internationaux).

7 ↘

San Ángel

À voir, à faire

(voir carte p. 107)

Juste à l'ouest de Coyoacán, le *barrio* **San Ángel** ★★★ est un de ces quartiers paisibles qui se laissent merveilleusement découvrir à pied. Il recèle de jolies places ombragées, des jardins et de belles demeures coloniales que l'on admire en empruntant de petites rues pavées. Un campus universitaire classé au patrimoine mondial de l'UNESCO ainsi que des musées religieux et contemporains majeurs complètent les trésors de San Ángel.

Les amateurs d'artisanat choisiront un samedi pour visiter le quartier, afin de profiter de l'animation colorée qui émane du Bazaar Sábado et qui se propage sur les places et les rues des alentours.

De la station de métro Barranca del Muerto, dirigez-vous vers le sud en suivant l'Avenida Revolución (nombreux autobus).

Museo de Arte Carrillo Gil ★★ [1]

50$M, dim entrée libre; mar-dim 10h à 18h; Av. Revolución 1608, 8647-5450, www.museodeartecarrillogil.com; métro Barranca del Muerto ou Miguel Ángel de Quevedo

Ce beau musée d'art contemporain s'intéresse principalement aux œuvres des artistes mexicains actuels. On les admire à travers ses expositions temporaires et sa collection permanente, qui compte l'une des meilleures sélections des œuvres du peintre muraliste José Clemente Orozco.

Suivez l'Avenida Altavista vers l'ouest.

San Ángel

San Ángel

San Ángel.

À voir, à faire ★

1. BV Museo de Arte Carrillo Gil
2. AV Museo Casa Estudio Diego Rivera y Frida Kahlo
3. AZ Plaza San Jacinto
4. AZ Parroquia de San Jacinto
5. AZ Museo Casa del Risco/ Centro Cultural Isidro Fabela
6. BZ Templo y Ex Convento de Nuestra Señora del Carmen/Museo de El Carmen
7. BW Museo Soumaya Plaza Loreto
8. BX Ciudad Universitaria/Biblioteca Central
9. BZ Museo Universitario Arte Contemporáneo (MUAC)

Cafés et restos ●

10. AV Antiguo San Ángel Inn
11. BZ Mercado del Carmen
12. AZ Mercado San Ángel
13. BZ Nube Siete
14. AZ Saks

Bars et boîtes de nuit ♪

15. AZ La Camelia

Culture et divertissement ♦

16. BZ Centro Cultural San Ángel

Lèche-vitrine ■

17. AZ Caracol Púrpura
18. AZ El Bazaar Sábado
19. AZ Flora María

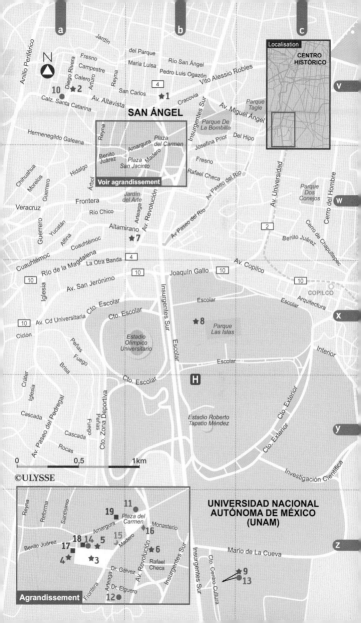

a

b

c

SAN ÁNGEL

Localisation

CENTRO HISTÓRICO

v

w

x

y

z

Anillo Periférico

Jardín del Parque

Fresno

Campestre

Reyna

Arturo

Diego Rivera

Calero

María Luisa

Río San Ángel

Pedro Luis Ogazón

Vito Alessio Robles

10

2

San Carlos

Cracovia

1

Calz. Santa Catarina

Av. Altavista

Parque Tagle

Av. Miguel Ángel

Hermenegildo Galeana

Reyna

Amargura

Plaza del Carmen

Madero

Parque De La Bombilla

Del Hipo

Josefina Prior

Insurgentes Sur

Benito Juárez

Plaza San Jacinto

Fresno

Rafael Checa

Chihuahua

Morelos

Hidalgo

Árbol

Voir agrandissement

Av. Paseo del Río

Av. Universidad

Parque Dos Conejos

Cerro del Hombre

Guerrero

Yucatán

Frontera

Jardín del Arte

Arteaga

Av. Revolución

Av. Paseo del Río

Cerro de Chapultepec

Veracruz

Río Chico

Benito Juárez

Guerrero

Alfina

Altamirano

7

Cuauhtémoc

La Otra Banda

4

Joaquín Gallo

10

2

Cuauhtémoc

Río de la Magdalena

10

10

Av. Copilco

10

COPILCO

Iglesia

Av. San Jerónimo

Insurgentes Sur

Escolar

Arquitectura

10

Av. Cd Universitaria

Cto. Escolar

Cto. Escolar

Escolar

Escolar

Ciclón

8

Parque Las Islas

Peñas

Fuego

Estadio Olímpico Universitario

Escolar

Interior

Cráter

Brisa

Escolar

H

Iglesia

Cto. Escolar

Cto. Exterior

Cascada

Cto. Zona Deportiva

Fuego

Estadio Roberto Tapatío Méndez

Cto. Exterior

Av. Paseo del Pedregal

Cascada

Rocas

Peñas

Investigación Científica

0   0,5   1km

UNIVERSIDAD NACIONAL AUTÓNOMA DE MÉXICO (UNAM)

Reyna

Reforma

Santísimo

11

19

Plaza del Carmen

Amargura

Monasterio

16

Benito Juárez

17

18 14

5

15

Madero

6

Mario de la Cueva

4

3

Arteaga

Dr. Gálvez

Av. Revolución

Rafael Checa

Insurgentes Sur

Cto. Centro Cultura

9

Frontera

Dr. Elguero

13

12

Agrandissement

San Ángel

Museo Casa Estudio Diego Rivera y Frida Kahlo ★★★ [2]

35$M, dim entrée libre; mar-dim 10h à 17h30; Diego Rivera, angle Av. Altavista, 8647-5470, www.estudiodiegorivera.bellasartes.gob.mx; métro Barranca del Muerto

L'ancienne maison-atelier de Diego Rivera et de Frida Kahlo (voir p. 99) fut conçue par l'architecte Juan O'Gorman en 1931. Le célèbre couple d'artistes y vécut à partir de 1934, à leur retour des États-Unis. L'ensemble muséal est constitué de quatre bâtiments modernes de style fonctionnaliste, en partie reliés par une passerelle. Bordés de cactus élancés, ils abritent, dans des pièces lumineuses, des photos d'archives, des toiles, des artéfacts provenant des collections personnelles du couple, des objets usuels et des personnages en papier mâché plus grands que nature.

Plusieurs charmantes petites rues pavées permettent de rejoindre le centre du quartier, notamment les rues Reyna et General Aureliano Rivera.

Plaza San Jacinto ★★★ [3]

métro Barranca del Muerto ou Miguel Ángel de Quevedo

Entourée de rues pavées et de nobles bâtiments colorés logeant commerces et restaurants, cette jolie place rappelle celle des petites villes coloniales du Mexique. Avec ses bancs à l'ombre d'arbres matures, l'endroit est idéal pour humer l'ambiance détendue du quartier. Tous les samedis, la place

se remplit de peintres et d'artisans exposant leurs œuvres et attirant les foules. L'épicentre de cette grouillante activité hebdomadaire est le marché d'artisanat **El Bazaar Sábado** (voir p. 113).

Parroquia de San Jacinto ★★ [4]

tlj 7h à 20h; Plaza San Jacinto 18 Bis (autre entrée par Benito Juárez), 5616-2059; métro Barranca del Muerto ou Miguel Ángel de Quevedo

À l'ouest de la place se dresse cette austère église érigée au XVIe s., dotée d'une agréable cour intérieure et d'un charmant jardin verdoyant où l'on se pose volontiers, le temps d'admirer l'une des plus anciennes croix sculptées au pays.

Museo Casa del Risco/ Centro Cultural Isidro Fabela ★★ [5]

entrée libre; mar-dim 10h à 17h; Plaza San Jacinto 5, 5616-2711, www.museocasadelrisco.org.mx, www.isidrofabela.com; métro Barranca del Muerto ou Miguel Ángel de Quevedo

Sur le côté nord de la Plaza San Jacinto, cette grande demeure du XVIIe s. renferme une impressionnante fontaine recouverte d'assiettes et de pièces de porcelaine (*riscos*) et expose une collection d'art religieux, de meubles et d'objets de l'époque coloniale tout en contant l'histoire de la famille qui vécut ici. Ne manquez pas de grimper au sommet de la tourelle, d'où vous embrasserez du regard la place. De son côté, le centre culturel propose des expositions temporaires

Templo y Ex Convento de Nuestra Señora del Carmen.

San Ángel

variées d'artistes mexicains, et des concerts à l'occasion.

À l'angle nord-est de la Plaza San Jacinto, prenez la Calle Madero, qui longe la jolie Plaza del Carmen (elle aussi envahie par les peintres tous les samedis), puis traversez l'Avenida Revolución.

Templo y Ex Convento de Nuestra Señora del Carmen ★★★ [6]

60$M; mar-dim 10h à 17h; Av. Revolución 4, 5616-1504, http://elcarmen.inah.gob.mx; métro Barranca del Muerto ou Miguel Ángel de Quevedo

Cet ensemble architectural peu visité mérite pourtant le détour. Construit entre 1615 et 1626, il est désormais séparé en deux entités distinctes. D'un côté, l'église de la paroisse *(entrée libre; tlj 6h30 à 20h)* arbore une sobre façade her-resque (de Juan de Herrera, architecte espagnol du XVIe s.), coiffée de deux superbes dômes recouverts d'azulejos, et abrite un impressionnant autel doré. L'entrée voisine donne accès au splendide **Museo de El Carmen ★★**. Installé dans le couvent, ce musée possède une riche collection d'art religieux de l'époque coloniale, dont de magnifiques toiles du XVIe au XIXe s. La visite permet d'accéder aux cryptes de l'église, où sont exposés des corps momifiés trouvés par hasard sur les lieux, et de plonger dans une atmosphère d'un autre siècle en découvrant les quartiers des moines, leurs paisibles jardins et les vestiges d'un aqueduc à deux niveaux.

Prenez l'Avenida Revolución en direction sud, puis tournez à droite dans la Calle Altamirano avant

San Ángel

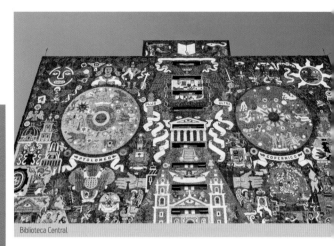

Biblioteca Central.

d'entrer dans le centre commercial Plaza Loreto.

Museo Soumaya Plaza Loreto ★ [7]

entrée libre; mer-lun 10h30 à 18h30, sam jusqu'à 20h; Plaza Loreto, Altamirano 46, 5616-3731, www.soumaya.com.mx; métro Miguel Ángel de Quevedo

Petit frère du Museo Soumaya (voir p. 73) de Polanco, celui-ci est nettement moins impressionnant, tant par son architecture que par sa collection. La visite est néanmoins intéressante, car elle fait découvrir des œuvres mexicaines populaires des XIXe et XXe s., notamment de colorés calendriers illustrés.

Poursuivez vers le sud sur l'Avenida Revolución jusqu'à la limite nord de l'Estadio Olímpico Universitario, d'où une passerelle permet de traverser l'Avenida de los Insurgentes Sur et d'accéder à la cité universitaire de l'UNAM. Ce trajet n'étant guère plaisant pour les piétons, nous vous conseillons de prendre un taxi ou d'emprunter l'un des nombreux autobus sillonnant l'Avenida Revolución. Des autobus gratuits qui parcourent la cité universitaire desservent les différents secteurs de son vaste campus.

Ciudad Universitaria/ Biblioteca Central ★★★ [8]

5622-1625, http://bibliotecacentral.unam.mx; métro Copilco

L'immense campus de l'Université nationale autonome du Mexique (UNAM), un véritable trésor d'architecture moderne, est classé au patrimoine mondial de l'UNESCO. L'édifice le plus saisissant du campus est la **Biblioteca Central**, œuvre des architectes Juan O'Gorman, Gustavo Saavedra et Juan Martínez de Velasco, achevée en 1956. La culture et l'esprit contemporain du Mexique s'expriment en harmonie sur ses quatre façades recouvertes de mosaïques, qui illustrent les principaux symboles propres à son histoire et à ses racines préhispaniques. L'intérieur, par contre, ne présente guère d'intérêt.

Museo Universitario Arte Contemporáneo (MUAC) ★ ★ ★ [9]

40$M, 20$M mer et dim; mer, ven et dim 10h à 18h, jeu et sam 10h à 20h; Centro Cultural Universitario, 5622-6972, www.muac.unam.mx; métro Universidad

Situé dans le secteur sud du campus, ce magnifique bâtiment aux lignes pures et baigné de lumière loge un des meilleurs musées d'art contemporain de México. Des expositions temporaires mettent en valeur les créations d'artistes mexicains et internationaux de renom dans des espaces monumentaux qui réjouiront les amateurs d'art actuel. Un restaurant (voir plus loin) et une boutique-galerie complètent bien la visite des lieux. Concerts de musique contemporaine à l'occasion.

Cafés et restos

(voir carte p. 107)

Mercado San Ángel $ [12]

tlj 7h à 19h; Av. Revolución (entre Dr. Elguero et Muzquiz)

Parfois appelé Mercado Melchor Muzquiz, ce marché populaire nourrit une bonne partie du quartier. À l'intérieur et sous ses arches extérieures, plusieurs dizaines de kiosques et de petits restaurants propres et accueillants servent d'authentiques spécialités mexicaines.

Mercado del Carmen $$ [11]

lun-mer 11h à 21h, jeu-sam 11h à 23h, dim 11h à 19h; Amargura 5, 5256-4005, www.facebook.com/MercadodelCarmenSanAngel

Dans une vieille demeure colorée face à la Plaza del Carmen, cette foire alimentaire à la mode se compose d'une vingtaine de comptoirs proposant des mets pour tous les goûts, sucrés et salés, mexicains comme internationaux. Les grandes tables communes de la cour, les bars et la musique *lounge* assurent une ambiance conviviale.

Nube Siete $$ [13]

lun-mar 9h à 18h, mer-dim 8h à 20h; MUAC, Centro Cultural Universitario, 5171-6990

Le restaurant du Museo Universitario Arte Contemporáneo (MUAC) s'avère pratique et agréable pour une pause entre deux expositions. Le menu est plutôt classique (pâtes, soupes, sandwichs, viandes et poissons, bons petits déjeuners mexicains), à la différence du cadre, avec son plancher de verre et ses murs vitrés donnant sur les jardins. Pour un repas plus recherché, rendez-vous à deux pas du musée chez **Azul y Oro** (*$$$; lun-mar 10h à 18h, mer-sam 10h à 20h, dim 9h à 19h; 5424-1426)*, succur-

San Ángel

San Ángel

Saks.

sale du restaurant **Azul Histórico** (voir p. 42).

⚅ Saks $$$ [14]
lun 7h30 à 22h, mar-ven 7h30 à 0h, sam 8h à 23h, dim 8h à 20h; Plaza San Jacinto 9, 5616-1601, www.saks.com.mx

Impossible de ne pas être impressionné par le décor de ce restaurant aménagé dans une somptueuse demeure du XVIIe s. La terrasse donnant sur la place est accueillante, mais attablez-vous plutôt dans le chic Salón Tequila, dont les murs sont décorés de mille bouteilles et flacons, ou encore dans le magnifique patio central. Dans tous les cas, une bonne cuisine mexicaine (fameux petits déjeuners) et internationale (pâtes, salades, viandes) est servie. Réservations conseillées. Plusieurs autres adresses en ville, dont une à Polanco.

⚅ Antiguo San Ángel Inn $$$$ [10]
lun-sam 13h à 1h, dim 13h à 21h; Diego Rivera 50, 5616-1402, www.sanangelinn.com

On vient ici en tout premier lieu pour profiter du cadre somptueux et romantique de ce restaurant. L'hacienda (1692) qui le loge devint un monastère avant d'être transformé en un lieu de villégiature pour les têtes couronnées. Installé dans d'élégants salons de style colonial, ou à l'extérieur, sous les arches du grand patio central, on déguste une fine cuisine classique inspiré tant du Mexique que du Vieux Continent (Chateaubriand, crêpes Suzette). Pour une addition plus légère, contentez-vous d'y boire simplement un verre. La promenade après le repas dans les beaux jardins de l'endroit est conseillée, tout comme les réservations.

Bars et boîtes de nuit

(voir carte p. 107)

La Camelia [15]
lun-mer 12h à 22h, jeu-sam 12h à 0h, dim 12h à 20h; Madero 3, 5616-5643

Une petite *cantina* simple et populaire, à deux pas de la Plaza San Jacinto. On n'y sert pas de cocktails recherchés, mais le lieu est idéal pour rencontrer les habitués du quartier. À ne pas confondre avec le restaurant touristique d'à côté, portant le même nom mais nettement moins sympathique.

Culture et divertissement

(voir carte p. 107)

Centro Cultural San Ángel [16]
Av. Revolución, angle Madero, 5616-1254, www.facebook.com/centroculturalsanangel

Logé dans l'ancien hôtel de ville, ce centre culturel présente divers événements culturels, dont des concerts et des pièces de théâtre en espagnol.

Lèche-vitrine

(voir carte p. 107)

Artisanat

Caracol Púrpura [17]
lun-ven 11h à 19h, sam-dim 9h à 20h; Benito Juárez 2, 5550-1450, www.facebook.com/ gcaracolpurpura; métro Barranca del Muerto

Bijoux, vêtements, *Catrinas*, superbes *alebrijes* (colorées sculptures en bois typiques d'Oaxaca) et bien d'autres objets d'artisanat de qualité en provenance de tous les coins du pays sont exposés ici. Vaut le coup d'œil.

El Bazaar Sábado [18]
sam 10h à 19h; Plaza San Jacinto 11, 5616-0082; métro Barranca del Muerto ou Miguel Ángel de Quevedo

C'est en 1960 que ce marché d'artisanat a ouvert ses portes dans une grande demeure coloniale. Le rendez-vous hebdomadaire, devenu de plus en plus populaire, s'étend maintenant à la Plaza San Jacinto et à ses alentours, où peintres et artisans en tout genre vendent leurs œuvres. À l'intérieur du marché original, les petites boutiques proposent des créations variées (objets d'art, bijoux, vêtements brodés, mezcal artisanal). Le patio central, ombragé d'un honorable jacaranda, accueille un restaurant de spécialités mexicaines *($$-$$$)*.

Flora María [19]
lun-sam 11h à 20h, dim 11h à 18h; Plaza Grand San Ángel, Amargura 17, 5616-3351, www.floramaria.com.mx; métro Barranca del Muerto

Cette bijouterie propose de belles pièces artisanales organiques et colorées, conçues par une designer mexicaine et confectionnées notamment avec de l'argent et de l'ambre mexicains. Plusieurs adresses en ville.

San Ángel

8 ↘

Les environs de México

À voir, à faire

(voir carte p. 117)

Facilement accessibles lors d'excursions à la journée ou à la demi-journée, les **environs de la capitale ★ ★ ★** recèlent des attraits incontournables qui permettent de s'évader quelque peu du tumulte de la ville. C'est aussi l'occasion de côtoyer divers aspects importants de la vie locale : festoyer à la mexicaine à Xochimilco, observer la ferveur catholique des Mexicains à la Basílica de Santa María de Guadalupe et comprendre les racines du peuple à Teotihuacán.

Xochimilco

Situé au sud-est de la ville, Xochimilco est accessible en transports en commun : prenez la ligne 2 du métro jusqu'à son terminus sud, la station Tasqueña, où vous pourrez emprunter le Tren Ligero (train léger) jusqu'au terminus de Xochimilco, non loin du centre. L'embarcadère de Nuevo Nativitas est situé à distance de marche (2 km à l'est), mais il est préférable de prendre un taxi pour rejoindre celui de Cuemanco (5 km au nord). Des vélos-taxis sillonnent les rues de Xochimilco ; négociez bien les tarifs avant d'y monter.

Xochimilco ★ ★ ★

information touristique : tlj 10h à 18h ; Mercado 133, Embarcadero de Nuevos Nativitas, 5653-5209 ou 5676-0810, www.xochimilco.gob.mx

Construit par les Aztèques, ce réseau de canaux et de *chinampas*, des «îlots-potagers», est classé au

Xochimilco.

patrimoine mondial de l'UNESCO. L'activité agricole est toujours présente sur ces jardins flottants; Xochimilco est d'ailleurs célèbre pour ses fleurs. Mais ce sont les croisières sur les canaux à bord de *trajineras*, de colorés bateaux propulsés par des perches, qui rendent si populaire cet endroit. Pour une expérience traditionnelle, rendez-vous à l'embarcadère de **Nuevo Nativitas**, où l'on peut louer un bateau *(500$M/h; capacité de 20 pers.)* ou embarquer à bord d'une *colectiva (30$M/pers. aller; sam-dim et jours fériés, départ une fois le bateau rempli, trajet d'une heure entre les embarcadères de Nuevo Nativitas et Salitre).*

L'affluence est à son comble du vendredi au dimanche, quand les familles mexicaines viennent festoyer gaiement sur des centaines de bateaux, abordés par d'autres *trajineras* proposant boissons, nourriture, couronnes de fleurs et concerts de mariachis. Pour une excursion plus calme et proche de la nature, rendez-vous à l'embarcadère de **Cuemanco** *(5 km au nord du précédent, Boul. Adolfo Ruíz Cortinez, Periférico Sur)*, où des *trajineras (mêmes tarifs, mais pas de* colectivas*)* proposent des balades à travers le Parque Ecológico de Xochimilco. Visiter ce parc permet d'observer de nombreux oiseaux, de mieux saisir la particularité des *chinampas* et d'aborder l'intrigante Isla de las Muñecas, où des centaines de poupées sont accrochées aux arbres.

Insigne y Nacional Basílica de Santa María de Guadalupe.

Museo Dolores Olmedo Patiño ★★

100$M, mar entrée libre; mar-dim 10h à 18h; Av. México 5843, 5555-1221, www.museodoloresolmedo.org.mx; Tren Ligero La Noria

Installé dans l'ancienne Hacienda La Noria, dont l'histoire remonte au XVIe s., ce musée mérite le détour ne serait-ce que pour profiter de la sérénité de son jardin boisé et fleuri où se pâment des paons. À l'intérieur des bâtiments coloniaux, on admire l'une des plus riches collections de peintures de Diego Rivera et de Frida Kahlo. L'endroit renferme aussi un petit restaurant ($-$$) et se prête parfaitement à la flânerie.

La banlieue nord de México

Situé dans la banlieue nord-est de la capitale, l'attrait suivant se rejoint facilement en métro (station La Villa – Basílica).

Insigne y Nacional Basílica de Santa María de Guadalupe ★★★

entrée libre, visites gratuites sur réservation; tlj 6h à 21h (horaire variable pour certains édifices); Zumarraga 2 (autre accès par Calz. de los Misterios), 5118-0500, http://basilica.mxv.mx/web1

Ce vaste complexe, l'un des sites religieux les plus visités au monde, attire chaque année jusqu'à 20 millions de fidèles venant honorer la Vierge de Guadalupe, sainte patronne du Mexique, vénérée aussi à travers toute l'Amérique latine. L'affluence des pèlerins est à son comble autour du 12 décembre, fête de la Vierge de Guadalupe. Commencez votre visite par la **colline de Tepeyac**, qui surplombe les lieux et qui est l'endroit où Juan Diego

Zona Arqueológica de Teotihuacán.

Cuauhtlatoatzin, canonisé en 2002, aurait été témoin en 1531 de l'apparition de Marie sous les traits de la Vierge de Guadalupe. La **Capilla del Cerrito** *(tlj 7h à 17h30)* commémore cette première apparition. Du parvis, la vue sur le site et la capitale est splendide. Des escaliers descendant à travers les jardins mènent ensuite à l'étonnant **Templo del Pocito** (1777), seul exemple d'édifice baroque de forme circulaire qui subsiste de l'époque coloniale. Juste à côté se trouve le plus ancien bâtiment du site, la **Parroquia Antigua de Indios**, une église érigée sur les fondations de la première chapelle dédiée à la Vierge de Guadalupe, construite en 1531.

Se dévoile ensuite le vaste **Atrio de las Américas**, avec au centre une structure moderne qui représente la scène d'apparition de la Vierge et qui fait entre autres office de carillon et de cadran solaire. Autour de l'esplanade se trouvent aussi le **Templo Expiatoria a Cristo Rey** *(tlj 8h à 18h)*, ancienne basilique construite en 1709, facilement repérable avec sa structure penchée, et la moderne **Nueva Basílica de Santa María de Guadalupe**, édifiée en 1976. Celle-ci accueille les messes les plus importantes et abrite le manteau de Juan Diego, miraculeusement conservé, sur lequel se serait imprimée l'image de Marie telle qu'on peut la voir aujourd'hui au-dessus de l'autel. Pour compléter la visite, ne manquez pas de vous rendre au **Museo de la Basílica de Guadalupe** *(10$M; mar-dim 10h à 17h30)*, situé derrière l'ancienne basilique, qui possède une importante collection d'art religieux et d'œuvres liées à la Vierge de Guadalupe.

Teotihuacán

Le trajet de 50 km qui sépare la capitale de Teotihuacán s'effectue en environ 1h à bord d'un autocar confortable. Les départs ont lieu au **Terminal de Autobuses del Norte** *(Eje Central Lázaro Cárdenas 271, Magdalena de las Salinas, www.centraldelnorte.com; métro Autobuses del Norte) avec la compagnie* **Teotihuacán** *(104$M aller-retour; départs aux 20 min entre 6h et 20h; porte 8, www.autobusesteotihuacan.com.mx). Arrivez le plus tôt possible pour éviter l'attente au guichet d'autocar et l'affluence sur le site. Assurez-vous que l'autocar dans lequel vous montez se rend jusqu'aux ruines («Pirámides» ou «Zona Archeológica»), certains ne desservant que la ville voisine de Teotihuacán. Au site archéologique, les arrivées se font aux entrées 1 et 2. Les retours vers México s'effectuent depuis les entrées 1, 2 et 3. Si vous préférez ne pas faire de longues marches sur le site, sachez que des taxis sont stationnés devant chaque entrée (comptez 40$M la course).*

Zona Arqueológica de Teotihuacán ★★★

70$M; tlj 9h à 17h; San Juan Teotihuacán, www.teotihuacan.inah.gob.mx

Classée au patrimoine mondial de l'UNESCO, l'ancienne cité de Teotihuacán («l'endroit habité des dieux» en nahuatl) impressionne par l'ampleur de ses dimensions et ses temples massifs. Il s'agit du centre culturel, politique et religieux de l'une des premières grandes civilisations mésoaméricaines, dont l'influence rayonna jusqu'au Guatemala. Habitée dès 200 av. J.-C., la cité, qui s'est surtout développée entre les Ier et VIIe s. de notre ère, couvrait plus de 35 km^2 et comptait

Pirámide del Sol.

quelque 200 000 habitants à son apogée. Elle était à ce moment-là la plus importante ville d'Amérique, et l'une des plus grandes du monde. Vraisemblablement pluriethnique, la cité aurait été dirigée par les Mexicas (Aztèques), les Otomis ou les Totonaques. Quoi qu'il en soit, certains éléments architecturaux de Teotihuacán témoignent d'un lien avec la culture olmèque, et les chercheurs ont mis au jour des preuves de la présence d'habitants d'origine maya, zapotèque et mixtèque. Même après sa destruction, probablement liée à des émeutes incendiaires en 650, l'endroit demeura un lieu sacré, et les Aztèques, dont Moctezuma, continuèrent à y faire des sacrifices ponctuels. Teotihuacán fut aussi l'un des premiers sites archéologiques à être fouillés (1864) et restaurés (1905-1910).

Nous vous conseillons de faire votre visite tôt en journée, afin d'éviter les fortes chaleurs et la foule qui débarque en milieu de matinée, et d'autant plus le dimanche où l'entrée est gratuite pour les Mexicains. Chapeau, protection solaire, réserve d'eau et bonnes chaussures sont fortement recommandés. Débutez à la Puerta 1, d'où vous pourrez suivre la **Calzada de los Muertos**, l'artère principale bordée des plus éloquents édifices religieux du site. Longue de 2 km, elle commence au niveau de **La Ciudadela**, qui fut le centre administratif de la cité. À mi-chemin, la **Pirámide del Sol** (achevée vers l'an 150, haute de 70 m) est érigée en harmonie avec la position du soleil à son zénith. La rude montée jusqu'à son sommet est récompensée par un splendide panorama. Dirigez-vous ensuite vers la Puerta

Palacio de Quetzalpapálotl.

5 pour visiter le **Museo de Sitio**, qui présente des artéfacts et des objets usuels provenant du site, ainsi qu'une grande maquette le mettant en perspective. Ce musée est bordé de l'agréable **Jardín Botánico Teotihuacán**, dont les arbres fruitiers et cactus procurent une halte ombragée.

De retour sur la Calzada de los Muertos, poursuivez votre chemin jusqu'à son extrémité nord, où s'élève la **Pirámide de la Luna**, plus petite que celle du Soleil. On n'accède qu'à sa première plateforme, d'où la vue englobe le site au complet. Au niveau de la Puerta 3, le **Palacio de Quetzalpapálotl** était le lieu de résidence des élites de la cité; colonnes sculptées, fresques et bas-reliefs y sont visibles. Il faut sortir du site par la Puerta 3 et faire 200 m à pied vers le nord pour accéder au **Museo de Murales Teotihacanos Beatriz de la Fuente**, qui expose des fresques récupérées dans divers bâtiments de l'ancienne cité. En saison, un spectacle son et lumière est proposé (voir p. 123).

Activités (voir carte p. 117)

Survols en montgolfière

Vuelos en Globo Mx
Carretera Libre México-Tulancingo, Km 27,5,
San Francisco Mazapa, Teotihuacán,
(55) 6608-1227, https://vuelosenglobo.mx

De plus en plus populaire, le survol du site de Teotihuacán en montgolfière est proposé par plusieurs entreprises, dont celle-ci qui pratique des tarifs compétitifs *(à partir de 2 300$M/pers.)* et qui offre des conditions sécuritaires. Les vols

Les environs de México

Montgolfières survolant la Zona Arqueológica de Teotihuacán.

d'environ 1h débutent à l'aube, et le transport depuis la capitale est assuré.

Cafés et restos

(voir carte p. 117)

Xochimilco

Une multitude de kiosques alimentaires et de petits restaurants se trouvent près des embarcadères de Nuevo Nativitas et Cuemanco. Il est plus avantageux d'y acheter son repas pour le déguster à bord d'une *trajinera*. Mais l'expérience ne serait pas complète sans commander une boisson et les diverses spécialités locales (*$*; *chicharrón, elotes, tacos, pulque*…) proposées par les barques abordant les bateaux touristiques.

La banlieue nord de México

Mercado Villa Zona 34 $
tlj 7h à 19h30; angle 5 de Febrero et Iturbide, près de la Basílica de Santa María de Guadalupe

Les *comedores* ne manquent pas autour du site de la cathédrale, mais ce marché s'avère pratique, car il est directement accessible depuis la grande esplanade (côté est). On y trouve les habituels comptoirs de restauration typiques de ces marchés publics.

Teotihuacán

Notez qu'il est interdit d'apporter de la nourriture à l'intérieur du site archéologique. Vous trouverez de quoi vous alimenter à la Puerta 1 et à la Puerta 3; cependant, les petits restaurants installés à l'extérieur de la Puerta 2 sont plus satisfaisants.

La Gruta $$$
tlj 11h à 19h; Circuito Arqueológico, Puerta 5, (59) 4956-0127 ou 5202-2775,
http://lagruta.mx

Installé dans une immense grotte naturelle, ce restaurant vaut le coup d'œil. Sans être aussi spectaculaire que le décor, le menu mexicain inspiré de la cuisine préhispanique est de bonne qualité, mais on peut aussi profiter de la fraîcheur bienvenue de cet endroit le temps d'un verre. Il convient de réserver longtemps à l'avance pour s'assurer d'avoir une table le week-end.

Culture et divertissement

(voir carte p. 117)

Experiencia Nocturna Teotihuacán
471$M; jan à juin et nov à déc lun et jeu-sam à 20h, sur réservation; Zona Arqueológica de Teotihuacán, Puerta 2,
www.ticketmaster.com.mx

À la nuit tombée, cette expérience de son et lumière présente l'histoire et les mythes de ce lieu magique. Après avoir parcouru à pied, audioguide en main, la Calzada de los Muertos entre les pyramides de la Lune et du Soleil, on assiste à un spectacle multimédia projeté sur cette dernière. L'assistance étant limitée à 280 personnes par soir, il convient d'acheter ses places à l'avance via le site Internet de Ticketmaster, d'autant plus qu'aucun billet n'est vendu sur place. Par contre, des agences et le restaurant La Gruta (voir plus haut) proposent des forfaits, plus chers mais offrant généralement des places le jour même.

Día de Muertos

Les deux premiers jours de novembre, les morts sont célébrés en grande pompe au Mexique. Après avoir installé des autels colorés dans leur foyer, les familles se rendent dans les cimetières pour décorer les tombes de fleurs et d'offrandes traditionnelles, *pan de muerto* (pain de mort) et *calaveras de alfeñique* (friandises en forme de tête de mort), tout en passant un moment empreint de joie avec les défunts. Très représentatif de la culture mexicaine, le Jour des morts est classé au patrimoine culturel immatériel de l'humanité de l'UNESCO. De joyeuses festivités animent alors le Zócalo et les rues de la capitale, avec notamment un défilé où les *Chilangos* se maquillent en *Catrinas* et *calaveras*. Cette tradition est encore plus forte dans le village de San Andrés Mixquic (50 km au sud-est du centre de México), qui attire tous les ans des milliers de visiteurs.

Les environs de México

Torre Latinoamericana

méxico
pratique

Vue de México depuis la terrasse du Castillo de Chapultepec.

Les formalités

Passeports et visas

Pour la plupart des citoyens du Canada et de l'Europe de l'Ouest, un passeport valide suffit et aucun visa n'est requis pour un séjour de 180 jours maximum au Mexique. Le passeport doit être valable pour une période de six mois après la date d'arrivée.

On vous remettra dans l'avion la carte de tourisme à remplir avant de passer la douane à votre arrivée au Mexique. Cette carte sera la « permission écrite » qu'on vous aura accordée pour visiter le Mexique pendant 180 jours, sans possibilité de renouvellement. Vous devez la conserver avec votre passeport et la remettre à la douane à la fin de votre séjour. Conseils : notez le numéro de votre carte de tourisme et joignez la carte à vos documents de voyage. Ce numéro sera très utile si jamais vous la perdez.

L'arrivée

Par avion

Aeropuerto Internacional de la Ciudad de México

Officiellement nommé **Aeropuerto Internacional Benito Juárez de la Ciudad de México** *(7 km à l'est du Centro Histórico, www. aicm.com.mx)*, il se classe au premier rang des plateformes de correspondance aérienne d'Amérique latine, avec plus de 44 millions de voyageurs chaque année. Il compte

deux terminaux, distants de 3 km mais reliés entre eux par l'Aerotrén (en service de 5h à 23h), un train gratuit. Le terminal 1 accueille la plupart des compagnies aériennes étrangères (dont Air Canada et Air France). Le terminal 2 est majoritairement réservé à la compagnie nationale, AeroMexico. Chaque terminal dispose de tous les services nécessaires (nombreux bureaux de change et guichets automatiques) et offre le Wi-Fi gratuit.

La ligne 4 du **Metrobús** (30$M; tlj 4h30 à 0h; départs aux 15 min; durée 30 min; voir p. 143) assure une liaison rapide et efficace entre le terminal 1 (Puerta 7), le terminal 2 (Puerta 2) et le centre-ville (métro Bellas Artes, Paseo de la Reforma).

La ligne 5 du **métro** passe à proximité du terminal 1 (station Terminal Aérea, Boul. Puerto Aéreo, angle Av. Capitán Carlos León González), mais cette option n'est pas conseillée si vous avez des bagages encombrants, d'autant plus que la station se trouve à 300 m de l'aéroport.

Plusieurs compagnies de **taxis**, dont les bureaux se trouvent à la sortie du hall d'arrivées, pratiquent des tarifs fixes pour les déplacements vers les différents quartiers de la capitale. Les prix varient grandement d'une compagnie à l'autre, mais comptez 250 à 300$M pour rejoindre le centre-ville. Notez que la compagnie **Uber** est autorisée à l'aéroport.

México pratique

Par autocar

Les voyageurs arrivant à la CDMX en autocar depuis d'autres États du Mexique descendront à l'une des quatre gares d'autocars suivantes :

Terminal Central del Norte *(Eje Central Lázaro Cárdenas 271, www.centraldelnorte.com, métro Autobuses del Norte)* : liaisons avec les villes du nord du pays, ainsi que Teotihuacán.

Terminal Central Sur Taxqueña *(Av. Taxqueña 1320, métro Tasqueña)* : liaisons avec certaines villes du sud du pays, dont Acapulco et Cuernavaca.

Terminal de Autobuses de Pasajeros de Oriente *(TAPO, Calz. Ignacio Zaragoza 200, métro San Lázaro)* : liaisons avec les villes de l'est et du sud du pays, dont Oaxaca et Puebla.

Terminal Central de Autobuses del Poniente *(Av. Río de Tacubaya 232, www.centralponiente.com.mx, métro Observatorio)* : liaisons avec les villes du sud du pays, dont Taxco et Toluca.

Par voiture

Si vous rejoignez la capitale en voiture, prévoyez arriver en dehors des heures de pointe (lun-ven 7h à 10h et 16h à 19h).

Si vous arrivez du nord du pays (États de Guanajuato, Querétaro, San Luis Potosí), vous verrez la route 570 se transformer en boulevard périphérique, le Periférico Manuel Ávila Camacho, qui suit les limites nord-ouest de la ville et qui donne accès au Paseo de la Reforma au niveau de Polanco.

Depuis l'ouest du pays (États de Jalisco, Michoacán), empruntez l'autoroute 15D (péage), qui se prolonge par l'Avenida Constituyentes en desservant les quartiers centraux de la capitale.

Depuis le sud-est du pays (États de Puebla, Oaxaca, Veracruz), suivez l'autoroute 150D (péage), qui se poursuit par la Calzada Ignacio Zaragoza et rejoint le Centro Histórico.

Depuis Acapulco et Cuernavaca, l'autoroute 95D (péage) devient la Calzada de Tlalpan dans le sud de la capitale.

▶ Le logement

Touristes et gens d'affaires visitent la Ciudad de México en tout temps, mais l'affluence est particulièrement forte lors de congrès et d'importantes festivités annuelles. Il serait sage de réserver votre chambre si vous ciblez un quartier ou un établissement spécifique, mais l'offre étant vaste, il est toujours possible de trouver un endroit où se loger. La majorité des établissements n'offrent pas de stationnement gratuit, mais le Wi-Fi est en règle générale offert gracieusement.

Centro Histórico.

L'éventail des possibilités proposées vous assure un séjour à votre mesure, que vous souhaitiez vous faire dorloter dans un opulent hôtel historique, goûter au luxe contemporain d'un hôtel-boutique ou être accueilli chaleureusement dans un gîte touristique familial.

Voici quelques conseils pour sélectionner votre quartier de prédilection :

Centro Histórico: le plus vieux quartier de la ville est aussi le plus touristique. Fourmillant de monde, ce n'est pas l'emplacement le plus reposant, mais il offre un bel éventail de lieux d'hébergement, de l'économique au luxueux.

Polanco: calme, très sécuritaire et proche du Bosque de Chapultepec, ce quartier est idéal pour les familles. C'est par contre l'option la plus onéreuse.

Roma et **La Condesa:** pour un séjour au cœur d'un quartier dynamique, près des bars et restaurants à la mode, mais relativement calme (en dehors des artères principales). Entouré du Centro Histórico, de la Zona Rosa et du Bosque de Chapultepec, cet endroit s'avère un lieu de résidence idéal pour bien des visiteurs cherchant un établissement confortable où séjourner.

Zona Rosa: à réserver aux oiseaux de nuit, qui n'oublieront pas leurs bouchons d'oreilles s'ils veulent dormir.

Juárez: enclavé au sud du Paseo de la Reforma, entre la Zona Rosa et le Centro Histórico, cet élégant quartier à la mode est une bonne

México pratique

Coyoacán.

option pour un séjour calme et actif à la fois.

Cuauhtémoc: juste au nord du Paseo de la Reforma, cette zone très urbaine mais relativement calme, compte plusieurs agréables lieux d'hébergement non loin des principaux attraits touristiques.

San Rafael: une option intéressante pour s'immerger dans un quartier populaire, sans faire de compromis sur la sécurité et tout en restant à proximité du Centro Histórico.

Coyoacán et **San Ángel:** tranquilles et agréables, ces deux quartiers ressemblent à des villages enclavés dans la ville. Seul bémol: très excentrés, ils requièrent de longs déplacements pour rejoindre le centre et ses attraits.

Consultez nos conseils sur l'hébergement touristique au *www. guidesulysse.com/hebergement*.

Location d'appartements

Très en vogue à México, la location d'appartements s'avère généralement plus économique qu'un séjour à l'hôtel. L'offre est importante et permet de vivre dans le quartier de son choix, au cœur de l'action ou en dehors des sentiers battus.

Des sites Internet spécialisés permettent d'entrer en contact avec des particuliers proposant une chambre ou un appartement en location courte durée. Il importe de demeurer vigilant, notamment en vérifiant les commentaires laissés par d'autres locataires.

Voici quelques sites qui offrent ce service :

www.airbnb.com
www.homeaway.com
www.vrbo.com
www.homelidays.com

Hôtels

Prix

L'échelle utilisée dans ce guide donne des indications de prix pour une chambre standard pour deux personnes, avant taxe, en vigueur durant la haute saison.

$	moins de 1 000$M
$$	de 1 000$M à 1 500$M
$$$	de 1 501$M à 2 000$M
$$$$	de 2 001$M à 3 000$M
$$$$$	plus de 3 000$M

Centro Histórico
(voir carte p. 31)

⭐ **Hotel Principal** *$* [65]
Bolívar 29, 5521-1333, www.hotelprincipal.com; métro Allende

Une fois passé la réception vieillotte à l'entrée de ce vieil immeuble du centre, on découvre de belles chambres (la plupart ont été refaites en 2016), charmantes avec leurs hauts plafonds de briques, leur literie de qualité et leur salle de bain moderne. La plupart des 80 chambres s'ouvrent sur le vaste patio central. Celles donnant sur la rue sont plus spacieuses et lumineuses, mais la circulation peut être une nuisance. Propre et accueillant; excellent rapport qualité/prix. Réservez directement auprès de l'établissement pour obtenir un rabais.

Downtown Beds *$-$$* [60]
Isabel la Católica 30, 5130-6830 ou 866-978-7020, www.downtownbeds.com; métro Zócalo

Située autour d'un petit patio, au rez-de-chaussée du luxueux hôtel Downtown México (voir plus loin), cette auberge de jeunesse offre un très bon niveau de confort et un emplacement central, dans un cadre très agréable. Les dortoirs (quatre à huit lits) sont modernes et pratiques, tout comme les trois chambres privées, même si le tout manque de lumière naturelle. Nombreux services offerts (vélos, buanderie, salle de cinéma) et accès possible à la piscine de l'hôtel *(250$M)*. Petit déjeuner continental inclus. Comme pour l'hôtel, le calme n'est pas assuré.

⭐ **Hostal Regina** *$-$$* [63]
Regina 58, 5434-5817, www.hostalreginacentrohistorico.com; métro Zócalo

Une auberge de jeunesse qui plaira aux jeunes adultes voulant faire la fête. Situé au cœur du **Corredor Cultural Regina** (voir p. 43) et disposant en plus d'un bar-discothèque sur son toit (Terrazza Regina), l'endroit n'est pas propice au repos, mais facilite les rencontres. L'immeuble historique, superbement décoré à la manière d'un gigantesque *lounge* contemporain, abrite de vastes dortoirs et

Chillout Flats Bed & Breakfast.

des chambres privées (2 à 4 pers.), dont une avec salle de bain privée. Cuisine commune, petit déjeuner inclus, sanitaires impeccables et accueil sympa.

Chillout Flats Bed & Breakfast $$ [59]
Bolívar 8, 5510-2665, www.chilloutflat.com.mx; métro Allende

Bien situé au cœur du Centro, mais dans un immeuble résidentiel très calme, cet établissement propose une dizaine de chambres réparties dans cinq appartements, avec pour chacun une salle commune égayée de chaleureuses couleurs mexicaines. Les chambres, simples et agréables, offrent un bon niveau de confort et disposent toutes d'une salle de bain privée. Petit déjeuner mexicain inclus.

Hotel Catedral $$ [64]
Donceles 95, 5521-6183 ou 866-291-2312 (du Canada), www.hotelcatedral.com; métro Zócalo

Confort classique, emplacement central et accueil professionnel caractérisent ce tranquille établissement. Certaines chambres profitent d'une vue sur la cathédrale et toutes ont été mises au goût du jour en 2017. Buffet de petit déjeuner inclus. Agréable; bon rapport qualité/prix.

Chaya Boutique Bed & Breakfast $$$$ [58]
Doctor Mora 9 (3ᵉ étage), 5512-9074, www.chayabnb.com; métro Hidalgo

Face à l'Alameda Central et situé sur le toit d'un petit centre commercial (sans ascenseur), cet établissement jouit d'un emplacement original et enviable. La plupart des

11 chambres, spacieuses et lumineuses, donnent sur le toit-terrasse où hamacs et fauteuils permettent de se relaxer au soleil. Décoration contemporaine, sobre et agréable. Bon petit déjeuner servi à la grande table de la salle commune, avec vue sur la place. Le soir, le restaurant voisin peut être un peu bruyant.

Downtown México *$$$$$* [61]
Isabel la Católica 30, 5130-6830 ou
866-978-7020, www.downtownmexico.com;
métro Zócalo

Le luxe au cœur du Centro, dans un palace colonial du XVIIe s. Les 17 chambres combinent le charme de l'architecture ancienne et une décoration moderne. Agréable piscine et bar sur le toit, offrant de magnifiques vues sur la vieille ville. Par contre, l'endroit ne se caractérise pas par son calme, surtout le week-end: le complexe The Shops at Downtown comprend un centre commercial (voir p. 47) et plusieurs restaurants installés dans ses patios centraux.

Gran Hotel de la Ciudad de México *$$$$$* [62]
16 de Septiembre 82, 1085-0350,
https://granhoteldelaciudaddemexico.com.mx;
métro Zócalo

Un grand classique de la capitale, installé dans un magnifique bâtiment (1526) bordant le Zócalo. Son grand hall intérieur de style Art nouveau est tout simplement époustouflant, avec ses balcons

intérieurs et son plafond en vitrail. Les chambres s'accordent bien à l'ensemble: classiques et élégantes. Les plus prisées donnent sur la place. On profite aussi de la vue imprenable sur la vieille ville depuis le restaurant perché sur le toit, **La Terrazza** *($$$-$$$$)*.

Paseo de la Reforma, Juárez et San Rafael *(voir carte p. 51)*

CDMX Hostel Art Gallery *$* [33]
Paseo de la Reforma 169, Cuauhtémoc,
6650-6100, http://cdmx-hostel-art-gallery.
business.site; métro Insurgentes ou
Cuauhtémoc

Centrale et urbaine, cette auberge de jeunesse attire de jeunes voyageurs cherchant un hébergement propre et bon marché. Les dortoirs (quatre à huit lits) sont assez petits et les chambres privées (salles de bain partagées) font environ la taille du lit qu'elles renferment. Les espaces communs (cuisine, terrasse, bar) sont bien aménagés et permettent de mieux respirer. Bon service et petit déjeuner mexicain inclus (servi au restaurant d'à côté).

Casa González *$$* [32]
Río Sena 69, Cuauhtémoc, 5514-3302,
hotelcasagonzalez.com;
métro Insurgentes

Calme et accueillant, cet hôtel est une petite oasis dans la ville. Réparties dans plusieurs maisons partageant cours et jardins, les 38 chambres sont simples mais agréables. Certaines affichent un charme suranné, d'autres sont plus modernes. L'établissement comprend un charmant restaurant *($$)*. Service sympathique. Rabais sur les réservations en ligne.

⊛ El Patio 77 $$$$ [34]

Joaquín García Icazbalceta 77, 5592-8452, www.elpatio77.com; métro San Cosme

Superbe demeure du XIXe s. typique du quartier San Rafael, ce gîte-boutique a tout pour plaire aux amoureux des arts et de l'environnement. Antiquités, meubles *vintage* et œuvres d'art composent le décor des salons et des huit suites, vastes et élégantes. Matières recyclées, panneaux solaires et récupération de l'eau de pluie ont valu à l'établissement le prix du tourisme durable mexicain en 2017. Le petit déjeuner mexicain gourmet est servi dans le patio. Une excellente adresse, dans un quartier à découvrir.

⊛ Hotel Carlota $$$$$ [35]

Río Amazonas 73, Cuauhtémoc, 5511-6300, www.hotelcarlota.com; métro Insurgentes

L'accès aux étages avec un monte-charge, la piscine aux parois transparentes, les murs et meubles en béton brut, sans oublier la déco épurée, font du Carlota une adresse ultracontemporaine. Les 36 chambres ont de beaux volumes. Pour plus de tranquillité, privilégiez celles donnant sur la cour intérieure, où sont installés le bar et le restaurant *($$$)* de cuisine mexi-

caine contemporaine. Le service, excellent, comprend le prêt d'un téléphone intelligent. Une adresse chic et conviviale.

Polanco (voir carte p. 71)

Camino Real Polanco $$$$ [30]

Mariano Escobedo 700, 5263-8888 ou 800-722-6466 (du Canada), www.caminoreal.com; métro Polanco ou Chapultepec

Œuvre architecturale colorée et contemporaine, ce grand hôtel propose un bon niveau de luxe à des tarifs abordables. Les chambres offrent un aménagement classique, auquel s'ajoutent une foule de services : une dizaine de restaurants (dont le fameux japonais Morimoto), piscines (intérieure et extérieure) et même un héliport. Par contre, l'accès Wi-Fi est payant.

Pug Seal Tennyson.

Residence L'Heritage $$$$
[33]

Aristóteles 225, 5350-8755 ou 5280-7333, www.residencelheritage.mx; métro Polanco

L'agence immobilière qui gère cette résidence propose une grande variété de suites, studios et appartements dans divers immeubles de Polanco. Même si chaque unité est différente, les logements ont en commun un bon niveau de confort, un ameublement classique, et chacun dispose d'une cuisine. Le côté pratique prime sur le charme, mais le rapport qualité/prix est excellent pour ce secteur. Stationnement gratuit et petit déjeuner inclus.

Pug Seal Tennyson $$$$$
[32]

Tennyson 86, 7678-3801, http://pugseal.com; métro Polanco

Installé dans une noble maison bleue sans enseigne, cet hôtel-boutique est un précieux bijou. Le cachet de l'architecture des années 1940 est rehaussé d'œuvres d'art contemporain colorées et d'objets design que l'on utilise à souhait, telle cette balançoire suspendue au plafond du hall central. Les 11 suites empruntent ce style éclectique et surprenant, mais toujours de bon goût. Cour intérieure, salle à manger (où est servi le petit déjeuner à la carte, inclus) et de nombreuses petites attentions (prêt d'un téléphone intelligent, conciergerie, stationnement gratuit) en font une adresse de choix. Cinq rues plus à l'ouest, l'hôtel **Pug Seal Allan Poe** [31] (*$$$$$; Edgar Allan Poe 90, 7572-1142*) offre un confort équivalent, mais une déco plus classique et une ambiance moins intime.

México pratique

Roma et La Condesa
(voir carte p. 83)

Hotel Milan $ [53]
Av. Álvaro Obregón 94, Roma Norte, 5584-0222, www.hotelmilan.com.mx; métro Insurgentes ou Niños Héroes

Les chambres sont petites et mériteraient d'être rafraîchies, mais elles sont propres et d'un bon rapport qualité/prix. Évitez cependant celles donnant sur l'avenue si vous avez le sommeil léger. L'emplacement, en plein centre de Roma Norte, est excellent pour qui veut profiter des bonnes adresses de ce secteur. Le restaurant de l'hôtel sert le petit déjeuner. Stationnement possible.

Tao Bed and Breakfast $-$$$ [56]
Campeche 345, La Condesa, 5286-7204, https://tao-bb.com; métro Chilpancingo ou Patriotismo

Une adresse zen, dans un bel immeuble Art déco. Les chambres, sobrement décorées, sont lumineuses et confortables. La plus petite est réservée aux voyageurs solitaires, mais est tout de même équipée d'une salle de bain privée et de l'air conditionné, comme les autres. Petit déjeuner inclus.

La Querencia DF $$ [54]
Circular de Morelia 6, Roma Norte, 5531-1065 ou 3037-2603; métro Cuauhtémoc

Légèrement excentré du centre névralgique de Roma, mais proche de Juárez et du Centro Histórico, ce gîte touristique vaut le détour. Cette demeure d'architecte date de 1930; meublée d'antiquités et décorée de peintures d'artistes mexicains, elle abrite 10 petites chambres confortables et colorées, dont certaines avec balcon. Petit déjeuner copieux servi à la table commune, terrasse sur le toit et bon accueil.

Stella Bed and Breakfast $$ [55]
Amsterdam 141, La Condesa, 6237-0102, www.stellabb.com; métro Chilpancingo

À deux pas du Parque México et de bons restaurants, cette discrète adresse est celle d'une belle demeure Art déco. Les sept chambres sont meublées d'antiquités. Les plus plaisantes se trouvent à l'arrière, autour de la cour intérieure. Bon petit déjeuner inclus, accueil chaleureux et excellent rapport qualité/prix.

Distrito Condesa B&B $$$ [51]
Cholula 62, La Condesa, 6303-1357, www.distritocondesa.com; métro Chilpancingo ou Patriotismo

Dans un coin paisible de La Condesa, cette maison aux lignes Art déco abrite un gîte touristique de six chambres. Certaines sont assez petites et peu lumineuses; un studio (avec cuisine) est aussi disponible, mais notre chambre préférée est celle donnant sur la rue et profitant d'une belle terrasse privée. Petit déjeuner mexicain inclus, cuisine à disposition et accueil chaleureux.

La Querencia DF.

🔖 **Condesa Haus** *$$$-$$$$* [50]
Cuernavaca 142, (81) 1769-2769,
https://condesahaus.com; métro Juanacatlán
Architecture Art déco, mobilier *vintage* et petites touches originales soulignant l'artisanat traditionnel de régions mexicaines, voilà le décor de cette paisible adresse. Les cinq chambres ont plus de charme que les trois suites et l'appartement. Mais ces derniers sont équipés de cuisines complètes et s'avèrent parfaits pour des séjours prolongés. Un petit déjeuner complet est servi à la grande table commune. Service très sympathique.

The Red Tree House *$$$-$$$$* [57]
Culiacan 6, La Condesa, 5584-3829,
http://theredtreehouse.com;
métro Chilpancingo

Cette grande maison aux couleurs chaleureuses renferme une vingtaine d'unités variées (chambres, suites, appartements), toutes superbement décorées d'objets d'art mexicains. Elles se partagent un agréable patio et des salons garnis de bibliothèques et d'un piano. Une bonne adresse, à proximité du Parque México, pour un séjour en toute tranquillité. Petit déjeuner inclus, mais accueil un peu froid. Réservez car l'endroit est très fréquenté.

🔖 **Hotel Boutique Villa Condesa** *$$$$* [52]
Colima 428, La Condesa, 5211-4892,
www.villacondesa.com.mx; métro Chapultepec ou Sevilla

Cette grande et blanche *casona* abrite une quinzaine de chambres au luxe raffiné. Jardin paysager et patios transformés en salons invi-

México pratique

tants forment un décor qui sied à la détente. Les chambres, vastes et pleines de charme, allient touches modernes et architecture ancienne. Le petit déjeuner (à la carte) est inclus, et un petit restaurant de cuisine mexicaine contemporaine, réservé aux clients de l'hôtel, se trouve sur place. Les enfants de plus de 12 ans sont bienvenus. Service impeccable.

Coyoacán (voir carte p. 97)

Casa Ayvar $-$$ [31]
Londres 191, Casa 1, 1686-6292, http://casa-ayvar.com.es; métro Coyoacán

Au cœur d'un petit complexe privé avec quelques maisons, celle-ci propose un hébergement confortable à prix raisonnable. La décoration ne vous laissera pas de souvenirs impérissables, mais les occupants des cinq chambres (une seule avec salle de bain privée) ont accès à toutes les installations (buanderie, cuisine, salon, stationnement, vélos, Wi-Fi). Petit déjeuner continental gratuit. Une adresse paisible et pratique.

Chalet del Carmen Coyoacán $-$$ [33]
Vicente Guerrero 94, 5659-1611 ou 5554-9572, www.chaletdelcarmen.com; métro Coyoacán ou Viveros

Un petit hôtel simple, calme et sympathique, tenu par une famille mexicano-suisse (on y parle français) qui vit sur place. Les six chambres sont agréables, pratiques et lumineuses (excepté la plus économique). Les deux suites sont équipées d'une cuisinette. Jardin et terrasses fleuries sont à la disposition des clients, et l'effort écologique est appréciable (panneaux solaires, récupération d'eau de pluie). Petit déjeuner continental inclus et vélos en libre-service.

Casa Moctezuma $$-$$$$ [32]
Moctezuma 79, 6070-4670, https://casamoctezuma.com; métro Coyoacán

Les 11 lofts urbains de ce bel hôtel charment à tout coup avec leur mobilier moderne, leurs espaces bien aménagés (mezzanine pour certains) et leur cuisine complète. La noble demeure centenaire qui les abrite compte aussi une grande cour aménagée et une belle terrasse couverte où sont servis les petits déjeuners (inclus). Vélos en libre-service et stationnement gratuit. Une adresse très agréable.

Pug Seal Coyoacán $$$$ [34]
Calzada Belisario Domínguez 16, 6363-7176, http://pugseal.com; métro Viveros

À l'instar des autres établissements de cette petite chaîne (voir p. 137), l'hôtel Pug Seal de Coyoacán est un havre de sérénité dans un écrin d'élégance. Celui-ci est plus sobre que les autres, mais ses huit chambres spacieuses affichent de jolies thématiques (celle dédiée à Carlos Fuentes est très réussie) et sont meublées d'objets rétro. Le plus: un grand jardin où l'on se prélasse volontiers.

Le dimanche, les cyclistes se retrouvent sur le Paseo de la Reforma, fermé à la circulation automobile.

Petit déjeuner inclus, bon service et familles bienvenues.

↘ Les déplacements

En voiture

La circulation incessante et les nombreux embouteillages aux heures de pointe ne font pas de l'automobile le moyen le plus efficace et le plus agréable pour visiter la Ciudad de México. Le stationnement peut aussi être un problème : certains hôtels n'en sont pas pourvus et, dans le centre, beaucoup sont payants. Ensuite, afin de limiter la pollution, un système de circulation alternée est en vigueur dans la capitale, en fonction du dernier chiffre de la plaque d'immatriculation des véhicules (détails et calendrier sur le site *www.hoy-no-circula.com.mx*). Ainsi, il est préférable d'explorer la CDMX en utilisant la vaste gamme de transports en commun.

Si, malgré tout, vous souhaitez louer une voiture, notamment pour visiter les environs de la ville, sachez que les permis d'Europe de l'Ouest et du Canada sont valides pour conduire au Mexique, que l'âge minimal requis est de 21 ans et qu'une carte de crédit est requise. Toutes les grandes entreprises de location sont présentes, mais pratiquent des tarifs souvent plus élevés qu'ailleurs, notamment à cause des assurances obligatoires (comptez environ 1 500$M par jour de location pour un petit véhicule). Des agences locales pratiquent des tarifs plus avantageux, mais l'état

México pratique

Métro de la Ciudad de México.

des véhicules n'est pas toujours garanti.

En métro

La capitale est relativement bien desservie par les 12 lignes et les 195 stations du **Metro de la Ciudad de México** *(5$M; lun-ven 5h à 0h, sam 6h à 0h, dim et jours fériés 7h à 0h; www.metro.cdmx. gob.mx)*. Dans plusieurs quartiers, les distances entre les stations sont parfois importantes et il est souvent avantageux de combiner métro et bus ou Metrobús pour se rendre rapidement à destination. Notez que, dans certaines stations, les correspondances entre deux lignes peuvent nécessiter de marcher jusqu'à 10 min. L'achat de la carte rechargeable, la Tarjeta de Ciudad *(10$M)*, permet d'éviter les files d'attente aux guichets.

Propre et sécuritaire (les *pickpockets* ne sont cependant pas rares), le métro est utilisé quotidiennement par près de 5 millions de personnes. Les heures de pointe (lun-ven 7h à 9h et 17h à 19h) sont particulièrement achalandées: les quais sont alors remplis de voyageurs qui doivent souvent attendre deux ou trois rames avant de pouvoir monter dans des voitures bondées d'où il est parfois difficile de ressortir. L'expérience n'est guère agréable et il est recommandé aux femmes et aux enfants (moins de 12 ans) de s'installer dans les voitures qui leur sont réservées aux heures de pointe et le soir.

En bus et Metrobús

Il existe d'innombrables **autobus publics** et **minibus privés** (*micros* ou *peseros*) desservant tous les quartiers de la capitale. Ils peuvent s'avérer pratiques pour rejoindre des endroits mal desservis par le métro et coûtent généralement 6$M. Renseignez-vous auprès du chauffeur pour vous assurer d'être dans le bon véhicule.

Le **Metrobús** (*tlj 5h à 0h; 6$M, 30$M pour l'aéroport; www. metrobus.cdmx.gob.mx*) est un réseau d'autobus rapides sur des voies réservées. Ses sept lignes complètent bien le réseau du métro et sont parfois plus pratiques, notamment aux heures de pointe. Retenez particulièrement la Línea 1, qui traverse la capitale du nord au sud sur l'Avenida de los Insurgentes; la Línea 3, qui fait de même via le Centro Histórico et l'est de Roma; la Línea 4, qui relie l'aéroport au centre-ville; et la Línea 7, qui suit le Paseo de la Reforma, de Polanco à la Plaza Garibaldi. L'accès nécessite l'achat de la carte Metrobús ou de la Tarjeta de Ciudad (*10$M*), vendue dans la plupart des stations de métro et valide aussi pour le métro.

En taxi et *ciclotaxi*

De nombreux taxis, blanc et rose pour la plupart, sillonnent les rues de la Ciudad de México. Ce moyen de transport est abordable, comparé aux tarifs pratiqués en Amérique du Nord et en Europe. Il convient de

México pratique

Taxi.

México pratique

distinguer deux différents types de taxis. Les ***taxis libres*** sillonnent les rues et il suffit de lever le bras pour les héler. Ils sont équipés d'un compteur et facturent environ 10$M/km le jour; comptez le double le soir, avec bien souvent l'imposition d'un tarif fixe peu négociable en fin de soirée. S'ils sont sécuritaires le jour dans les quartiers centraux, ils n'ont pas toujours une bonne réputation. La nuit, un passager seul qui ne connaît pas la ville et ne parle pas espagnol devrait s'abstenir de prendre ces taxis. Légèrement plus chers (facturation au compteur) mais totalement sécuritaires, les ***sitios*** et **radio-taxis** fonctionnent à partir de stations fixes situées partout en ville (*sitios*) ou sur appel. Il est pratique de repérer la station de *sitios* la plus

proche de votre lieu d'hébergement, et tous les établissements pourront appeler un radio-taxi sur demande. Évitez par contre les taxis postés près des hôtels de luxe et des principaux attraits touristiques, car ils facturent des tarifs fixes généralement bien plus élevés que les prix courants. Enfin, notez que le service de voiturier **Uber** (www.uber.com) est couramment utilisé dans la CDMX, avec des tarifs plus avantageux que les compagnies régulières, notamment de et vers l'aéroport.

Dans le Centro Histórico, les ***ciclotaxis***, des tricycles électriques et couverts, permettent de se déplacer d'une manière agréable et écologique. Le tarif est à négocier avec le chauffeur (*comptez 20 à 40$M la*

Avenida Francisco I. Madero.

course, et 200$M pour une balade-découverte de 30 min).

À pied

Même si l'immensité de la Ciudad de México nécessite d'utiliser divers moyens de transport pour se déplacer entre ses secteurs, les quartiers de la capitale s'apprécient bien mieux à pied. Vastes trottoirs, avenues ombragées d'arbres, parcs verdoyants, places publiques et rues piétonnes se prêtent parfaitement à la marche, et c'est ainsi qu'on goûte le mieux à la richesse de la ville.

À vélo

Dans les quartiers centraux, le vélo est de plus en plus populaire.

Avec 170 km de pistes cyclables (plan du réseau téléchargeable sur le site *www.sedema.cdmx. gob.mx*), ce moyen de transport est agréable, pratique et sécuritaire. Le dimanche, de nombreux cyclistes se retrouvent sur le Paseo de la Reforma, fermé à la circulation automobile (voir p. 48), de même que dans d'autres rues permettant de relier le Centro Histórico (par l'Avenida Juárez) et La Condesa (par Sevilla et Durango).

Plusieurs hôtels prêtent des vélos à leurs clients.

Pratique et facile d'utilisation, le système de vélos en libre-service **Ecobici** (5005-2424, *www.ecobici. cdmx.gob.mx*) propose des forfaits d'un jour (94$M), trois jours (188$M) ou sept jours (312$M)

México pratique

Ecobici.

autorisant des déplacements de 45 min sans frais additionnels. On se procure ces forfaits aux bornes Ecobici avec une carte de crédit. L'application pour téléphone intelligent Ecobici CDMX permet de repérer toutes les bornes en ville.

L'organisme **Bicigratis** *(mar-sam 10h30 à 18h, dim 8h30 à 15h30)* offre gratuitement des vélos pour une durée de 3h (vous devrez laisser en caution votre passeport ou deux pièces d'identité). On trouve des stations de Bicigratis sur le Paseo de la Reforma (au niveau de la Calle Toledo et de la Calle Francisco Javier Mina), près du Bosque de Chapultepec (métro Auditorio) et dans le quartier La Condesa (Durango, face à la Fuente de las Cibeles).

Poráy *(Paseo de la Reforma 24, autre adresse à La Condesa: Veracruz 3, 8500-6129, www.poray. bike)* loue différents types de vélos de qualité *(à partir de 140$M pour 2h)* et organise des tours guidés à vélo *(à partir de 200$M; durée 3h)*.

❯ Bon à savoir

Activités culturelles

Pour tout savoir sur les spectacles de l'heure, consultez les calendriers des événements des sites Internet de **Chilango** *(www.chilango. com)* et **Tiempo Libre** *(https:// tiempolibredigital.com.mx)*, tous deux en espagnol. Le mensuel gratuit **Time Out México** *(www. timeoutmexico.mx/ciudad-de-*

Billet de 500 pesos honorant Frida Kahlo.

mexico) se trouve dans certains lieux touristiques (hôtels, musées) et répertorie une variété d'activités pour tous les goûts.

Argent et services financiers

Monnaie

La monnaie du pays est le *peso* (symbole officiel: MXN), généralement tout simplement indiqué par le signe $, mais que nous indiquons par $M pour éviter toute confusion. La Banque du Mexique émet des billets de 20, 50, 100, 200, 500 et 1 000 *pesos*, de même que des pièces de 1, 2, 5, 10 et 20 *pesos* ainsi que de 10, 20 et 50 *centavos* (100 *centavos* = 1 *peso*).

Taux de change

10$M	=	0,66$CA
10$M	=	0,43€
10SM	=	0,51$US
10$M	=	0,51CHF
1$CA	=	15$M
1€	=	23$M
1$US	=	20$M
1CHF	=	20$M

N.B. Les taux de change peuvent fluctuer en tout temps.

México pratique

Bosque de Chapultepec.

Il est à noter que tous les prix mentionnés dans le présent ouvrage sont en *pesos*.

Banques et bureaux de change

Les banques sont généralement ouvertes du lundi au vendredi, de 9h à 17h. Le meilleur moyen pour retirer de l'argent consiste à utiliser sa carte bancaire (carte de guichet automatique). Attention, la plupart des banques facturent des frais fixes (par exemple 5$CA), donc mieux vaut éviter de retirer trop souvent de petites sommes. Repérez les guichets automatiques de Scotiabank, où les transactions sont sans frais pour les clients de la Scotia au Canada.

Les bureaux de change (*casas de cambio*) se trouvent dans les zones les plus touristiques et à l'aéroport, où les taux en vigueur sont comparables à ceux du centre-ville.

Bars et boîtes de nuit

Certains établissements exigent des droits d'entrée, notamment les boîtes de nuit et certains bars lorsqu'il y a un spectacle. Les endroits les plus à la mode nécessitent souvent une réservation les soirs les plus fréquentés (jeu-sam). Les *Chilangos* sortent tard le soir et les lieux nocturnes ne s'animent qu'après 22h. Pour les consommations, un pourboire (voir p. 151) d'environ 15% de l'addition est attendu. Notez que l'âge légal pour fréquenter les débits de bois-

Moyennes des températures et des précipitations

	Max. (°C)	Min. (°C)	Précipitations (mm)	Jours de pluie par mois	Heures d'ensoleillement par jour
Janvier	21	6	11	2	8
Février	23	7	4	2	8
Mars	26	9	10	3	9
Avril	27	11	26	8	8
Mai	27	12	56	13	7
Juin	25	12	135	18	6
Juillet	23	12	175	23	6
Août	23	12	169	23	6
Septembre	22	12	145	19	5
Octobre	22	10	67	10	6
Novembre	22	8	12	4	8
Décembre	21	7	6	3	8

Source : Servicio Meteorológico Nacional

sons et consommer de l'alcool au Mexique est de 18 ans.

Climat

Comme la plupart des pays tropicaux, le Mexique connaît deux saisons prédominantes : une chaude et pluvieuse (juin à octobre) et une sèche et moins chaude (novembre à mai). L'altitude de México (2 240 m) tempère ce climat et assure une agréable douceur printanière tout au long de l'année, bien que les nuits et matinées puissent être fraîches.

Décalage horaire

Lorsqu'il est midi à Montréal, il est 11h à México. Le décalage horaire pour la France, la Belgique ou la

México pratique

Le Zócalo lors du Día de Navidad.

Suisse est de sept heures. L'heure avancée d'été débute le premier dimanche d'avril et se termine le dernier dimanche d'octobre.

Électricité

Tout comme en Amérique du Nord, les prises électriques sont conçues pour recevoir des fiches à deux lames plates et donnent un courant alternatif à une tension de 110 volts (60 cycles). Les Européens qui désirent utiliser leurs appareils électriques devront donc se munir d'un adaptateur et d'un convertisseur de tension, sauf pour les petits appareils électroniques généralement prévus pour fonctionner autant sur 110V que sur 240V. On trouve facilement des adaptateurs sur place.

Heures d'ouverture

Les commerces sont généralement ouverts du lundi au samedi de 8h à 18h, avec souvent une pause entre 13h et 15h. Le dimanche, de nombreux cafés et restaurants sont fermés ou ont un horaire réduit. Notez que la majorité des musées sont fermés le lundi et que bon nombre d'entre eux sont gratuits le dimanche, attirant ainsi les foules.

Jours fériés

Voici la liste des jours fériés au Mexique, durant lesquels la plupart des magasins, services administratifs et banques sont fermés.

Año Nuevo (jour de l'An)
1er janvier

Día de la Constitución (jour de la Constitution)
5 février

Día de Nacimiento de Benito Juárez (anniversaire de naissance de Benito Juárez)
21 mars

Jueves Santo et Viernes Santo
Jeudi saint et Vendredi saint durant la semaine précédant Pâques

Día del Trabajo (fête du Travail)
1er mai

Cinco de Mayo (commémoration de la bataille de Puebla)
5 mai

Informe Presidencial (discours annuel du président sur l'état de la nation)
1er septembre

Día de la Independencia (fête de l'indépendance du Mexique)
15 et 16 septembre

Día de Muertos (jour des Morts)
2 novembre

Revolución Mexicana (jour de la Révolution)
20 novembre

Día de Navidad (Noël)
25 décembre

Pourboire

Sauf s'ils sont inclus dans l'addition, les pourboires sont de mise dans les restaurants ou autres établissements où l'on vous sert à table (la restauration rapide n'entre donc pas dans cette catégorie). Ils

México pratique

Ciudad de México (CDMX).

sont aussi de rigueur dans les bars et les boîtes de nuit, entre autres.

Selon la qualité du service rendu, il faut compter environ 15% de pourboire sur le montant avant les taxes. Il n'est pas, comme en Europe, inclus dans l'addition (sauf dans certains restaurants touristiques); le client doit le calculer lui-même et le remettre au serveur. Les bagagistes dans les aéroports et les hôtels reçoivent généralement entre 20$M et 40$M par valise. Les femmes de chambre, quant à elles, s'attendent à recevoir au moins 40$M par jour par personne.

Presse écrite

Les *Chilangos* sont de grands lecteurs de journaux, et des kiosques vendant la presse du jour et les magazines se trouvent partout en ville. Parmi les nombreux quotidiens et revues, retenons *El Universal* (www.eluniversal.com. mx) et *Reforma* (www.reforma. com), les deux plus importants quotidiens généralistes; *La Jornada* (www.jornada.com.mx) et le magazine *Proceso* (www.proceso. com.mx) sont politiquement marqués à gauche; *La Prensa* (www. la-prensa.com.mx) fait partie des nombreux tabloïds publiés au pays. Enfin, *The News* (www.thenews. mx) est un quotidien de langue anglaise traitant des affaires mexicaines et surtout internationales.

Renseignements touristiques

Plusieurs kiosques d'information touristique sont situés près des

Cochinita pibil.

plus importants attraits touristiques et à l'aéroport; en général, ils ne sont pas d'une grande aide.

CDMX Travel

http://cdmxtravel.com

Site officiel du Secretaría de Turismo CDMX.

Visit Mexico

www.visitmexico.com

Site officiel de l'office du tourisme du Mexique.

Restaurants

La gastronomie mexicaine (voir p. 56) fait partie des découvertes à ne pas manquer lors d'un séjour à México. Le nombre de restaurants, de tout type et toutes catégories, est la preuve que les Mexicains aiment bien manger. Le *desayuno* (petit déjeuner) est servi de l'aube à la fin de la matinée. L'*almuerzo* ou la *comida* (déjeuner), repas principal de la journée, se prend de 13h à 16h. La *cena* (dîner) est servi entre 20h et 21h. Les horaires des établissements varient beaucoup, mais les plus simples ferment généralement vers 18h. Il en est de même le dimanche pour de nombreux établissements.

Dans le chapitre «Explorer», vous trouverez la description de plusieurs établissements pour chaque quartier. Sachez qu'il est essentiel, dans les meilleurs restaurants, de réserver sa table plusieurs heures, jours, voire semaines à l'avance.

Les tarifs indiqués dans ce guide s'appliquent pour un repas complet pour une personne, avant les bois-

México pratique

Cuisine de rue.

sons, les taxes (voir p. 157) et le pourboire (voir p. 151).

$	moins de 150$M
$$	de 150$M à 300$M
$$$	de 301$M à 600$M
$$$$	plus de 600$M

Santé

Pour les personnes en provenance d'Europe et du Canada, aucun vaccin n'est nécessaire. D'autre part, il est vivement recommandé de souscrire une bonne assurance maladie-accident. Il existe différentes formules de protection et nous vous conseillons de les comparer. Emportez vos médicaments, surtout ceux qui exigent une ordonnance.

L'eau du robinet est censée être potable à México, mais nous vous conseillons de la filtrer ou de la faire bouillir avant de la consommer. La **cuisine de rue** est une expérience à ne pas manquer à México; les aliments sont en règle générale sains, mais privilégiez les kiosques les plus fréquentés, preuve de qualité et de fraîcheur. Faites preuve de précautions supplémentaires lorsque vous commandez un *ceviche* ou un tartare.

Les premiers jours de votre arrivée, il est possible que l'altitude (2 240 m) vous affecte (maux de tête, essoufflements). Cette altitude, le nombre de véhicules et l'emplacement de la capitale au fond d'une vallée ne favorisent pas la qualité de l'air, même si le niveau de pollution a grandement baissé

Tremblements de terre

La Ciudad de México est au centre de trois plaques tectoniques majeures (nord-américaine, Cocos et Pacifique), la rendant propice aux tremblements de terre. De plus, la ville est construite sur l'ancien lac Texcoco et, bien que celui-ci fût asséché dès le XVIIe s., le sol argileux subsistant amplifie les effets des séismes. Ainsi, une vingtaine de tremblements de terre ont secoué la capitale depuis un siècle. Celui du 19 septembre 1985 reste gravé dans les mémoires des *Capitalinos*. En 3 min, sa puissance fut telle (magnitude de 8,1) que des centaines d'immeubles s'effondrèrent, causant la mort d'au moins 10 000 personnes. À la suite de cette tragédie, des normes architecturales antisismiques strictes ont été mises en place, mais nombre de vieux édifices sont encore à risque. Le 19 septembre 2017, exactement 32 ans après celui de 1985, un tremblement de terre d'une magnitude de 7,1 a secoué la ville pendant 20 secondes. Cette fois, 40 édifices furent détruits et 370 personnes trouvèrent la mort.

Bien que les infrastructures soient maintenant plus résistantes, les Mexicains vivent dans la crainte constante d'un nouveau *temblor*. En cas d'alerte, vous entendrez dans toute la ville de puissantes alarmes répétant *Alerta sismica*. Ces alarmes automatiques sont reliées aux appareils de détection sismiques. Ainsi, si l'épicentre est assez éloigné de la capitale, de précieuses secondes permettent aux habitants d'évacuer les immeubles ou de se réfugier dans les endroits sécuritaires. Ceux-ci sont indiqués dans chaque édifice, prenez le temps de vous en informer. Il n'est pas non plus inutile de se familiariser avec les consignes de sécurité auprès de votre hôtel, et de les suivre en cas de besoin.

México pratique

depuis 1992, année où la Ciudad de México fut tristement en tête des villes les plus polluées de la planète.

Sécurité

Depuis le début des années 2010, la sécurité s'est nettement améliorée dans les principaux quartiers de la capitale, et la grande majorité des touristes explorent la ville sans problème. La mégapole, comme toutes les grandes villes, n'est cependant pas exempt d'incidents : des *pick-pockets* opèrent dans les endroits très fréquentés (marchés, métro) et les vols à la tire ne sont pas rares. On évite la majorité des problèmes en restant sur ses gardes et en adoptant une attitude discrète (évitez les bijoux voyants, placez votre appareil photo dans un sac discret, ne sortez pas tous vos billets de banque lors d'un achat). De nuit, évitez de marcher seul dans les rues et choisissez bien votre taxi (voir p. 143). De même, une fois la nuit tombée, certains quartiers sont à éviter, notamment Tepito (nord-ouest du Centro Histórico), La Merced (est du Centro Histórico), Tlatelolco (autour de la Plaza de las Tres Culturas) et Doctores (est de Roma). En cas d'agression, ne résistez jamais, car bien des assaillants n'hésiteront pas à faire usage de la force.

En cas de problème, appelez le **911** ou le **066**, ou repérez, dans les zones touristiques, les caméras de sécurité surveillant les rues, la plu-

part étant munies d'un bouton de secours rouge et d'un interphone relié directement à la police.

Sports professionnels

Football (soccer)

Estadio Azteca
Calzada de Tlalpan 3465, Coyoacán, 5487-3100, www.estadioazteca.com.mx; métro Estadio Azteca

Le plus grand stade du Mexique (87 000 spectateurs) a déjà accueilli par deux fois la Coupe du monde de football et présente des concerts gigantesques. On peut y voir régulièrement des matchs de l'équipe locale, le Club América, et assister à des compétitions internationales. En dehors des matchs, des visites guidées du stade sont

Estadio Azteca.

organisées *(120$M; lun-ven 10h à 17h, sam-dim 10h à 14h; entrée par la Puerta 2)*.

Taxes

Le Mexique impose une taxe sur la valeur ajoutée de 16% (IVA, ou *impuesto al valor agregado*) qui s'applique à l'achat de la plupart des articles. Cette taxe est souvent incluse dans le total de l'addition au restaurant et dans le prix des achats en magasin. La taxe sur l'hébergement est quant à elle de 19%, mais notez que celle-ci n'est pas toujours incluse dans le tarif affiché.

Télécommunications

L'indicatif international du Mexique est le **52** et l'indicatif régional de la Ciudad de México, le **55**.

Si vous appelez d'un téléphone portable, vous devrez toujours composer l'indicatif régional. D'un téléphone fixe, composez l'indicatif seulement si vous appelez dans une autre région. Pour appeler à l'étranger du Mexique, composez le 00, suivi de l'indicatif international du pays où vous téléphonez.

Il est possible d'activer votre téléphone portable en vous procurant une carte SIM, vendue dans les centres de service de l'opérateur local **Telcel** et dans la plupart des boutiques de téléphone et épiceries (OXXO notamment). Les forfaits débutent à 50$M et il vous sera éventuellement demandé de présenter votre passeport. Il est également possible de vous procurer une carte SIM avant votre départ par l'entremise du site *www.*

México pratique

Vue depuis le Castillo de Chapultepec.

mexicosimcard.com. L'application **WhatsApp** *(www.whatsapp.com)*, très utilisée dans tout le pays, permet d'économiser les frais de communication.

Internet: partout en ville, dans la majorité des commerces, hôtels et café-restaurants, des accès Wi-Fi gratuits sont offerts.

Visites guidées

Turibus

visite de la ville (à partir de 160$M), Lucha Libre 650$M (3h30), Cantinas 350$M (4h), Sabores México 800$M (4h); tlj; 5241-3665, www.turibus.com.mx

En plus des traditionnels tours de ville en bus à deux niveaux (section du haut en plein air) et des excursions dans les environs de Méxi-

co (Teotihuacán, Taxco…), cette entreprise propose des tours thématiques intéressants et pratiques pour les visiteurs ne parlant pas espagnol: soirée de *lucha libre*, découverte des *cantinas*, saveurs culinaires mexicaines, entre autres. Les départs ont lieu au centre commercial **Reforma 222** (voir p. 60). Audioguides en français.

Ecotour San Ángel

100$M/pers. (45 min); sam-dim 10h à 17h; 4249-8123, www.facebook.com/ecotourmexico

À bord d'un rickshaw électrique, Xochi vous promène dans les petites rues, à la découverte des lieux emblématiques de San Ángel. En anglais ou en espagnol, au départ de la Plaza San Jacinto.

passionnantes découvertes culturelles dans la ville de México et ses alentours. La programmation est très variée : visite du quartier Roma, des plus vieilles églises du centre historique, ou encore excursions à Puebla. Uniquement en espagnol.

Estación México

certains tours gratuits et d'autres à partir de 300$M; (55) 1331-4947 (WhatsApp), www.estacionmexico.com.mx

Des tours à pied du Centro Histórico sont proposés gratuitement tous les jours à 11h et 14h30 (réservations requises). Les tours thématiques (*Lucha Libre*, muralisme, mezcal…) sont payants et sont animés par des guides passionnés, en anglais et en espagnol.

Eat Mexico

à partir de 85$US (env. 1 500$M) pour un tour de 3h à 4h; tlj; 877-887-0220, https://eatmexico.com

Partez explorer à pied toutes les facettes de la gastronomie mexicaine, surtout celle des marchés et de la cuisine de rue, dans différents quartiers de la ville. Les groupes, de six personnes maximum, sont accompagnés d'un guide local parlant anglais et espagnol, et la nourriture goûtée est incluse dans le prix, qui reste tout de même prohibitif. À conseiller aux visiteurs ne parlant pas espagnol.

Paseos Culturales INAH

à partir de 180$M; 5553-2365, http://paseosculturales.inah.gob.mx

L'Instituto Nacional de Antropología e Historia (INAH) propose de

Voyageurs à mobilité réduite

La ville de México n'est malheureusement pas toujours bien adaptée aux personnes à mobilité réduite. L'accès à certains édifices historiques s'avère parfois compliqué, voire impossible. Cependant, la plupart des musées et établissements publics sont équipés de rampes d'accès, tout comme le transport en public Metrobús.

L'organisme **Pasea** *(www.paseaincluyente.com)* organise des découvertes touristiques de la capitale pour les personnes à mobilité réduite.

México pratique

Calendrier des événements

Voici un aperçu des plus grands événements annuels tenus dans la Ciudad de México. Nous vous invitons à consulter les sites Internet des organismes pour en connaître les dates exactes, qui peuvent varier d'année en année.

Février

Carnaval

Comme dans beaucoup de villes au pays, la semaine précédant le carême (février ou mars) donne lieu à des défilés festifs, dont les plus importants ont lieu à Xochimilco et au Peñón de los Baños (nord-est de la ville).

Zona MACO
https://zsonamaco.com

Le plus important festival dédié à l'art contemporain en Amérique latine. Expositions, performances et événements organisés dans les galeries d'art durant une semaine au début de février.

Mars et avril

Festival del Centro Histórico
http://festival.org.mx

Concerts, théâtre, activités culturelles gastronomiques et familiales

animent les places publiques et les salles de spectacle du Centro durant deux semaines.

Semana Santa

La Semaine sainte débute le dimanche des Rameaux (une semaine avant Pâques, en mars ou avril) et est la célébration religieuse la plus importante du Mexique. À México, la ville est souvent plus calme qu'à l'ordinaire et de nombreux commerces sont fermés.

Juillet

Feria de las Flores de San Ángel

Suivant une tradition préhispanique, San Ángel fête les fleurs durant une semaine à la mi-juillet. Défilés, concerts, marchés aux fleurs et nombreux kiosques culinaires animent alors le quartier.

Septembre

Día de la Independencia
15 et 16 septembre

La déclaration d'indépendance proclamée en 1810 est célébrée en grande pompe sur le Zócalo, où la foule converge le 15 septembre à 23h pour entendre *El Grito* (le cri), soit la reconstitution de l'appel au soulèvement lancé par le père Hidalgo à ses compatriotes.

Día de Nuestra Señora de Guadalupe.

Octobre

Día de la Raza
12 octobre

À la différence des États-Unis célébrant le jour de l'arrivée de Christophe Colomb en Amérique, le Mexique préfère commémorer la fusion des races autochtones et européennes. Ce «jour de la Race» donne lieu à des défilés dans les rues de la ville.

Fiesta de San Judas Tadeo
28 octobre

Le saint patron des causes désespérées est fêté par de nombreux fidèles au **Templo de San Hipólito** (voir p. 52).

Novembre

Día de Muertos
2 novembre

Les défunts sont joyeusement célébrés partout au pays (voir l'encadré p. 123).

Décembre

Día de Nuestra Señora de Guadalupe
12 décembre

Cette fête, la plus religieuse du Mexique, célèbre la sainte patronne du pays. Des pèlerins venus de toutes les régions convergent vers la **basílica de México** (voir p. 116).

México pratique

Palacio Nacional.

index

Museo Casa Estudio Diego Rivera y Frida Kahlo.

lexique
français-espagnol

Expressions et mots usuels

au revoir	*adiós, hasta luego*	Je suis désolé,	*Lo siento,*
bon après-midi ou bonsoir	*buenas tardes*	je ne parle pas	*no hablo*
bonjour (forme familière)	*hola*	espagnol.	*español.*
bonjour (le matin)	*buenos días*	Je vais bien.	*Estoy bien.*
bonne nuit	*buenas noches*	merci	*gracias*
Comment allez-vous?	*¿Cómo esta usted?*	mère	*madre*
de rien	*de nada*	Mon nom de famille est...	*Mi apellido es...*
enfant (garçon/fille)	*niño/a*	Mon prénom est...	*Mi nombre es...*
époux, épouse	*esposo/a*	non	*no*
Excusez-moi.	*Perdone/a.*	oui	*sí*
frère, sœur	*hermano/a*	Où sont	*¿Dónde estan*
Je ne comprends pas.	*No entiendo.*	les toilettes?	*los baños?*
Je suis...	*Soy...*	Parlez-vous	*¿Habla usted*
belge	*belga*	français?	*francés?*
canadien(ne)	*canadiense*	père	*padre*
français(e)	*francés/a*	Plus lentement	*Más despacio,*
québécois(e)	*quebequense*	s'il vous plaît.	*por favor.*
suisse	*suizo*	Comment vous	*¿Cómo se*
		appelez-vous?	*llama usted?*
		S'il vous plaît.	*Por favor.*

Directions

à côté de	*al lado de*	ici	*aquí*
à droite	*a la derecha*	Il n'y a pas...	*No hay...*
à gauche	*a la izquierda*	là-bas	*allí*
dans, dedans	*dentro*	loin de	*lejos de*
derrière	*detrás*	Où se trouve... ?	*¿Dónde está...?*
devant	*delante*	Pour se rendre à...?	*¿Para ir a...?*
en dehors	*fuera*	près de	*cerca de*
entre	*entre*	tout droit	*todo recto*

L'argent

argent	*dinero*	Je n'ai pas d'argent.	*No tengo dinero.*
carte de crédit	*tarjeta de crédito*	L'addition,	*La cuenta,*
change	*cambio*	s'il vous plaît.	*por favor.*

Les achats

acheter	*comprar*	le client, la cliente	*el/la cliente*
appareil photo	*cámara*	le jean	*los tejanos/los vaqueros/los jeans*
argent	*plata*	le marché	*el mercado*
artisanat typique	*artesanía típica*	le pantalon	*los pantalones*
bijoux	*joyeros*	le t-shirt	*la camiseta*
cadeaux	*regalos*	les chaussures	*los zapatos*
Combien cela coûte-t-il?	*¿Cuánto es?*	les lunettes	*las gafas*
cosmétiques	*cosméticos y*	les sandales	*las sandalias*
et parfums	*perfumes*	magasin	*almacén*
en/de coton	*de algodón*	montre-bracelet	*reloj*
en/de cuir	*de cuero/piel*	or	*oro*
en/de laine	*de lana*	ouvert	*abierto/a*
en/de toile	*de tela*	pierres précieuses	*piedras preciosas*
fermé	*cerrado/a*	piles	*pilas*
J'ai besoin de...	*Necesito...*	produits solaires	*productos solares*
Je voudrais...	*Quisiera...*	revues	*revistas*
journaux	*periódicos/diarios*	un sac à main	*una bolsa de mano*
la blouse	*la blusa*	une boutique	*una tienda*
la chemise	*la camisa*	vendeur, vendeuse	*dependiente*
la jupe	*la falda/la pollera*	vendeur, vendeuse	*vendedor/a*
la veste	*la chaqueta*	vendre	*vender*
le chapeau	*el sombrero*		

Divers

beau	*hermoso*	laid	*feo*
beaucoup	*mucho*	large	*ancho*
bon	*bueno*	lentement	*despacio*
bon marché	*barato*	mauvais	*malo*
chaud	*caliente*	mince, maigre	*delgado*
cher	*caro*	moins	*menos*
clair	*claro*	ne pas toucher	*no tocar*
court	*corto*	nouveau	*nuevo*
court (pour une personne petite)	*bajo*	Où?	*¿Dónde?*
étroit	*estrecho*	petit	*pequeño*
foncé	*oscuro*	peu	*poco*
froid	*frío*	plus	*más*
grand	*grande*	Qu'est-ce que c'est?	*¿Qué es esto?*
gros	*gordo*	Quand?	*¿Cuando?*
J'ai faim.	*Tengo hambre.*	quelque chose	*algo*
J'ai soif.	*Tengo sed.*	rapidement	*rápidamente*
Je suis malade.	*Estoy enfermo/a.*	rien	*nada*
joli	*bonito*	vieux	*viejo*

La température

Il fait chaud.	*Hace calor.*	pluie	*lluvia*
Il fait froid.	*Hace frío.*	soleil	*sol*
nuages	*nubes*		

Le temps

année	*año*	juin	*junio*
après-midi, soir	*tarde*	juillet	*julio*
aujourd'hui	*hoy*	août	*agosto*
demain	*mañana*	septembre	*septiembre*
heure	*hora*	octobre	*octubre*
hier	*ayer*	novembre	*noviembre*
jamais	*jamás, nunca*	décembre	*diciembre*
jour	*día*	nuit	*noche*
maintenant	*ahora*	semaine	*semana*
minute	*minuto*	dimanche	*domingo*
mois	*mes*	lundi	*lunes*
janvier	*enero*	mardi	*martes*
février	*febrero*	mercredi	*miércoles*
mars	*marzo*	jeudi	*jueves*
avril	*abril*	vendredi	*viernes*
mai	*mayo*	samedi	*sábado*

Les communications

Je voudrais acheter une carte SIM.	*Desearía comprar una trajeta SIM.*	Peut-on téléphoner par Internet ici?	*¿Se puede hacer una llamada por Internet aquí?*
Je voudrais recharger ma carte de téléphone.	*Desearía recargar mi tarjeta de teléfono.*	Quel est le mot de passe pour se connecter à votre réseau Wi-Fi?	*¿Cuál es la contraseña para conectarse a su red Wi-Fi?*
le bureau de poste	*la oficina de correos*		
le téléphone prépayé	*el teléfono de prepago*	timbres	*estampillas/sellos*

Les activités

musée ou galerie	*museo*	plage	*playa*
nager	*nadar*	plongée sous-marine	*buceo*

Les transports

à l'heure prévue	*a la hora*	l'avion	*el avión*
aéroport	*aeropuerto*	la bicyclette	*la bicicleta*
aller simple	*ida*	la voiture	*el coche, el carro*
aller-retour	*ida y vuelta*	le bateau	*el barco*
annulé	*annular*	le train	*el tren*
arrivée	*llegada*	nord	*norte*
avenue	*avenida*	ouest	*oeste*
bagages	*equipajes*	passage de chemin de fer	*crucero ferrocarril*
coin	*esquina*		
départ	*salida*	rapide	*rápido*
est	*este*	retour	*regreso*
gare, station	*estación*	rue	*calle*
horaire	*horario*	sud	*sur*
l'arrêt d'autobus	*la parada de autobús*	sûr, sans danger	*seguro/a*
l'autobus	*el bus*	taxi collectif	*taxi colectivo*

La voiture

à louer	*alquilar*	limitation de vitesse	*velocidad permitida*
arrêt	*alto*	piétons	*peatones*
autoroute	*autopista*	ralentissez	*reduzca velocidad*
essence	*petróleo, gasolina*	station-service	*servicentro*
feu de circulation	*semáforo*	stationnement	*parqueo, estacionamiento*

L'hébergement

air conditionné	*aire acondicionado*	lit	*cama*
avec salle de bain privée	*con baño privado*	petit déjeuner	*desayuno*
chalet (de plage), maisonnette	*cabaña*	piscine	*piscina*
chambre	*habitación*	simple, pour une personne	*sencillo*
double, pour deux personnes	*doble*	ventilateur	*ventilador*

Les nombres

0	*cero*	21	*veintiuno*
1	*uno, una*	22	*veintidos*
2	*dos*	23	*veintitrés*
3	*tres*	24	*veinticuatro*
4	*cuatro*	25	*veinticinco*
5	*cinco*	26	*veintiséis*
6	*seis*	27	*veintisiete*
7	*siete*	28	*veintiocho*
8	*ocho*	29	*veintinueve*
9	*nueve*	30	*treinta*
10	*diez*	31	*treinta y uno*
11	*once*	32	*treinta y dos*
12	*doce*	40	*cuarenta*
13	*trece*	50	*cincuenta*
14	*catorce*	60	*sesenta*
15	*quince*	70	*setenta*
16	*dieciséis*	80	*ochenta*
17	*diecisiete*	90	*noventa*
18	*dieciocho*	100	*cien, ciento*
19	*diecinueve*	200	*doscientos, doscientas*
20	*veinte*	500	*quinientos, quinientas*
		1 000	*mil*
		10 000	*diez mil*
		1 000 000	*un millón*

Pour mieux échanger avec les Mexicains,
procurez-vous le guide de conversation
***L'espagnol pour mieux voyager
en Amérique latine***.

Pirámide de la Luna, Zona Arqueológica de Teotihuacán.

Crédits photographiques